Für Jörg, Jürgen und Christian T.

Peter Öfferlbauer

Punktgewinn bei Dunkelheit

Die zweite Saison des SV Pasching 16

Bibliografische Information der Deutschen
Nationalbibliothek:
Die Deutsche Nationalbibliothek verzeichnet diese
Publikation in der Deutschen Nationalbibliografie;
detaillierte bibliografische Daten sind im Internet über
http://dnb.dnb.de abrufbar.

© 2020 Mag. Peter Öfferlbauer

Korrektorat: Textlösungen – www.textloesungen.at
Bild Flutlicht: Gast32 / CC BY-SA Wikimedia Commons

Herstellung und Verlag: BoD – Books on Demand,
Norderstedt

ISBN: 978-3-7504-9774-0

Vorwort des Autors

Pasching, im Juli 2020

Lange Zeit war unklar, ob auf *„Die Odyssee des SV Pasching 16"* noch ein weiteres Buch folgen würde. Viele Dinge sprachen dagegen, einige aber auch dafür.

Die einst ausführlich beschriebene Tortur eines Vereins, der in seiner Premierensaison mit einer im Nachhinein betrachtet grob fahrlässig unterbesetzten Mannschaft kräftig Prügel bezogen hatte, war isoliert betrachtet eigentlich fertig erzählt.

Auch begann für mich als Mitgründer des Vereins ein gewisser Abnabelungsprozess. Immerhin wollte ich die Gründung damals nur anstoßen und planmäßig nach zwei Jahren an fleißige Fußballfunktionäre übergeben. Ich habe damals gelernt, dass ein Weitergeben nicht immer einfach ist. Zu viele Sachen glaubt man besser zu wissen, über zu viele Dinge macht man sich Sorgen, zu viele Konflikte geht man daraus resultierend ein.

Möglicherweise hat mir dieses Buch dabei geholfen, endgültig loslassen zu können. Der aufmerksame Leser wird merken, dass die Erzählperspektive mit Fortdauer der Geschichte immer mehr in die Außensicht wechselt. Das ist keineswegs bedauerlich, sondern vielmehr Beleg für ein Gelingen dieses sowohl für das Projekt als auch für mich persönlich wichtigen Prozesses.

Auch hatte die Odyssee nur die erste Saison des neu gegründeten SV Pasching 16 im Fußballverband begleitet. Bekanntlich hält jede neue Spielzeit auch wieder unzählige neue Geschichten bereit. Dass diese für die Nachwelt festgehalten werden sollen, war durchaus eine Triebfeder für den vorliegenden Band.

Sehr erfreulich ist auch, dass die *Odyssee* nach gut eineinhalb Jahren zwar selten, aber noch immer von einem kleinen, aber feinen Publikum gelesen wird. Vor ein paar Monaten war es schließlich ein unerwartetes Feedback des Lesers Siegfried, das mich endgültig zu einer Fortschreibung dieser wunderbaren Geschichte veranlasste. Er verriet mir, dass er an mehreren Stellen des Buches Tränen der Rührung in den Augen gehabt hatte und es bedauerlich findet, dass es keine Fortsetzung gibt. Lieber Siegfried, dieses Buch ist neben den vorne genannten Personen aus dem Vereinsumfeld auch dir gewidmet.

Bevor wir zu sehr in alten Zeiten schwelgen, möchte ich noch allen neuen Lesern etwas Angst nehmen. Man muss den Vorgänger-Band nicht gelesen haben, um der vorliegenden Geschichte folgen zu können. Das Einzige, das man wissen sollte, ist, dass es sich beim SV Pasching 16 um einen im Jahr 2016 von Fans des ehemaligen örtlichen Bundesligisten gegründeten Verein handelt, der sich völlig mittellos und mit ausschließlich vereinslosen Spielern der Herausforderung stellte, in einer 8.000-Seelen-Gemeinde wieder einen Fußballverein zu etablieren. Für Kinder, Jugendliche und Erwachsene aus und rund um Pasching.

Keine Zeit für Katerstimmung

„Die Verrückten sitzen schon wieder zusammen", fand ein Vorstandsmitglied scharfe, aber durchaus treffende Worte für die erste inoffizielle Sitzung des SV Pasching 16 nach Bekanntwerden des in letzter Minute realisierten Verbandseinstiegs als eigenständiger Verein.

Das Buch *„Die Odyssee des SV Pasching 16"* hatte den damals auf dem „1b-Ticket" des FC Juniors OÖ frisch in den Verbandsfußball eingestiegenen neuen Paschinger Verein auf seinem fußballerischen Höllenritt durch das Mühlviertel begleitet. Als die dort ausführlich thematisierte Kompromisslösung *„SV Pasching 16 Juniors OÖ"* aufgrund der äußerst knappen Platzkapazitäten zu scheitern gedroht hatte, schienen in Pasching nach nur einem Jahr Meisterschaftsbetrieb wieder sämtliche Lichter auszugehen. Was viele junge Menschen mühsam und mit viel Schweiß und Tränen aufgebaut hatten, wäre am Ende des Tages umsonst gewesen.

Die Freude über die in wirklich allerletzter Minute erfolgte Zusage schlug schon sehr bald in Stress um. Immerhin durfte bzw. musste der nunmehr auch gegenüber dem ÖFB völlig eigenständig agierende Verein im Gegensatz zur Premierensaison nun neben einer Kampfmannschaft auch eine Reserve sowie zwei Nachwuchsteams stellen.

Es lag auf der Hand, dass sich der über die lange Saison im Mühlviertel hinweg merkbar ausgedünnte

Erwachsenenkader signifikant verbreitern musste. Beim vorletzten Saisonspiel in Arbing waren inklusive Trainer Roider nur noch drei Ersatzspieler auf der Bank gesessen. Für einen Verbandsbetrieb mit zwei Erwachsenenteams benötigt man immerhin Wochenende für Wochenende zwei Kader mit jeweils sechzehn Spielern. Zählt man Verletzungen, Sperren und sonstige Abwesenheiten hinzu, ist ein Gesamtpool aus etwa vierzig bis fünfzig Erwachsenenspielern unumgänglich.

Hier mussten die Vereinsfunktionäre gleich in zwei Richtungen tätig werden. Zunächst spekulierte man damit, Spieler, welche im Vorjahr entweder an der sportlichen Aussichtslosigkeit der Aufgabe oder aber am organisatorischen Aufwand gescheitert waren, für die nun neue Reservemannschaft zurückzugewinnen.

Dieses Kalkül sollte, soviel sei vorweggenommen, da und dort auch tatsächlich aufgehen. Der eine oder andere Spieler, der in der harten letzten Saison weggebrochen war, sollte tatsächlich wenige Wochen später in der Reserve auflaufen. In einem weiteren Schritt blieb es dem weitgehend mittellosen SV Pasching 16 jedoch selbstverständlich nicht erspart, aktiv auf Spielersuche zu gehen.

Noch vielmehr galt das für die nun komplett neu entstandene Nachwuchsabteilung. Immerhin stand der Verein nun in der Verantwortung, zwei komplette

Kinderteams zu stellen. Sinnvollerweise entschied man sich, hier in der untersten Altersklasse zu beginnen. Im Rahmen dieses arbeitsreichen Sommers wurden dem Verband daher eine U8- sowie eine U6-Mannschaft genannt.

Als erste Nachwuchstrainer gingen dabei Romeo und Thomas in die Geschichte ein. Gründungsmitglied und Namensvetter Thomas M. übernahm die Nachwuchsleitung. Er hatte zuvor bereits vor einigen Jahren bei Blaue Elf Linz wertvolle Erfahrungen in diesem Bereich sammeln können.

Gemeinsam mit dem gesamten Vorstand mobilisierte das Trio Freunde, Bekannte und Familie, um schnell Kinder für die beiden „Bambini"-Teams gewinnen zu können. Schon bald stellte sich hier durch starke Mundpropaganda der gewünschte Effekt ein, und es kamen immer mehr Jungs und Mädchen zu den Kindertrainings. Diese wurden im ersten Halbjahr zweimal wöchentlich angeboten. An Dienstagen traf man sich am Schulplatz im Ortsteil Langholzfeld, an Donnerstagen auf der altehrwürdigen Langwies, wo im Jahr 2016 dieses Mammutprojekt seinen Anfang genommen hatte.

Diese ersten Kindertrainings markierten generell einen magischen Moment und entscheidenden Meilenstein. Dem grundlegenden Projektgedanken folgend, war es nun zum ersten Mal seit Jahrzehnten allen Paschinger Kindern möglich, in dieser inzwischen über 8.000 Einwohner zählenden Gemeinde den Volkssport Fußball auszuüben.

Es war also durchaus wichtig, dass sich die, um in der Formulierung des Vorstands zu bleiben, „Verrückten" an diesem brennend heißen Sommernachmittag zusammengefunden hatten, um diese umfassenden Maßnahmen einzuleiten.

Mit Johannes trat neben Kassier Clemens nun jener Mann, der in der vergangenen Frühjahrssaison den Verein zunächst aktiv begleitet hatte, immer stärker in Erscheinung. Er folgte dem Autor, dessen erklärtes Ziel es war, nach Erfüllung der Gründungsmission an Fußballfunktionäre zu übergeben, als Sportlicher Leiter nach.

An besagtem Sommertag wurde neben der Spielersuche vor allem auch eine entscheidende Funktionärspersonalie besprochen. Der in der Region äußerst beliebte Trainer und Vereinsfunktionär Arno hatte erst vor kurzer Zeit alle Tätigkeiten bei seinem bisherigen Klub niedergelegt. Clemens und Johannes standen nun vor der großen Challenge, den Ur-Paschinger für dieses kraft- und nervenaufreibende Projekt zu begeistern. Bereits nach wenigen Treffen konnte hier Vollzug gemeldet werden. Arno war nun einer von uns.

Zusammen mit Johannes bildete er von diesem Zeitpunkt an ein vielversprechendes Duo auf der

Position der Sportlichen Leitung. Als der eine oder andere seiner ehemaligen Spieler bzw. Mitspieler von Arnos Engagement bei Pasching Wind bekommen hatte, schloss er sich dem Verein an.

Den Spielern wurde der neue stellvertretende Sportliche Leiter im Rahmen eines gemeinsamen Essens Anfang Juli vorgestellt. Der Wirt des örtlichen *Paschingerhofs* hatte unser Team als Folge unseres ersten und bis zu diesem Zeitpunkt einzigen Sieges (3:2 gegen Unterweißenbach) bereits im April zum Schnitzelessen eingeladen. Knapp drei, von einem unglaublich hohen Stresslevel gekennzeichnete, Monate später konnte diese Einladung schließlich tatsächlich von der gesamten Entourage angenommen werden.

Neue Liga, alte Probleme

Alle Jahre wieder harren die oberösterreichischen Vereine gespannt der offiziellen Klasseneinteilung des Fußballverbands. Wie in der *„Odyssee des SV Pasching 16"* ausführlich thematisiert, wurde man in der Vorsaison überraschend einer Liga mit ausschließlich Mühlviertler Vereinen zugeteilt. Dies war vor allem dem 1b-Ticket, auf welchem wir in der letzten Spielzeit unterwegs gewesen waren, geschuldet.

Als nunmehr völlig eigenständiges und damit vollwertiges Verbandsmitglied war von Vornherein klar, dass der SV Pasching es nun mit Vereinen aus der Region zu tun bekommen würden. Die Frage war zu diesem Zeitpunkt nur noch, ob der Fußballverband Paschings neue Kicker in die 2. Klasse Mitte-Ost, wo die Vereine aus den Nachbarorten Kirchberg-Thening, Oftering und Mühlbach spielten, oder aber in die 2. Klasse Mitte, wo Klubs aus den Nachbargemeinden Leonding und Traun verweilten, einteilen würde.

Der Fußballverband hat sich schließlich für eine Eingliederung in die sehr urbane 2. Klasse Mitte entschieden. Angeführt wurde diese Liga von der ASKÖ Leonding, die in der Vorsaison aus der Siebt- in die Achtklassigkeit abgestiegen war, sowie den beiden damals untereinander heillos zerstrittenen ehemaligen Spielgemeinschaftspartnern FC Stahl Linz und Westbahn Linz, die gemeinsam mit den Leondingern zu den absoluten Aufstiegsaspiranten zählten. Zu selbigen gehörte auch die Union Puchenau, die sich im

Sommer eindrucksvoll verstärkt hatte.

Darüber hinaus traf man noch auf die 1b-Teams der beiden Viertligisten Donau Linz und Edelweiß Linz, Traditionsverein SV Urfahr, Union Babenberg, ASKÖ Ebelsberg, ASV St. Martin/Traun, den altehrwürdigen SV Franckviertel und den FC Dardania Linz, brisanterweise ebenfalls aus dem Franckviertel.

Unser Verein nahm diese Einteilung mit einem lachenden, aber auch mit einem weinenden Auge zur Kenntnis. Einerseits bedeutete die neue Liga ein Ende der teilweise über 60 Kilometer weiten Auswärtsfahrten, andererseits aber auch den definitiven Abschied von den uns sehr liebgewordenen Vereinen des Mühlviertels. Sie hatten sich wenige Wochen zuvor noch für einen Verbleib unseres neuen Vereins im Fußballverband stark gemacht. Wir wussten, dass es in der Stadt nicht so gemütlich werden würde wie am Land.

Ein kleiner Mentalitätsunterschied machte sich auch gleich bei der in Oberösterreich obligatorischen Ligasitzung vor dem Saisonstart bemerkbar. War es im Mühlviertel üblich, sich in einem ausgewählten Landgasthof zu treffen, saß man als nunmehriger Bestandteil der untersten Linzer Spielklasse auf einer schmalen Holzterrasse am Sportplatz der Union Haid, die gar nicht in dieser Liga spielte. Der Umgangston unter den hiesigen Funktionären war zwar etwas rauer als im Mühlviertel, das Eis aber dennoch schnell gebrochen.

Wie bereits in der Vorsaison, waren die Verantwortlichen des SV Pasching 16 auch diesmal wieder bemüht, den anderen Mitgliedern der Liga die komplizierte Platzsituation in Pasching zu verdeutlichen. So wurde kommuniziert, dass Heimspiele klarerweise nicht nach Gutdünken hin und her geschoben werden konnten. Schließlich trainierten mit dem LASK und Zweitliga-Aufsteiger FC Juniors OÖ zwei Teams aus den obersten Spielklassen des Landes auf jenen Plätzen, die dem neuen Paschinger Verein zugleich als Heimstätte dienten. Die gegnerischen Klubs nahmen diesen Umstand mit viel Verständnis und Wohlwollen zur Kenntnis.

Die wenigen Wochen der traditionell kurzen Sommerpause mussten auch in dringende Adaptierungen auf Funktionärs- und Helferebene investiert werden. Da die neu hinzukommenden Reservespiele und Nachwuchsturniere von geprüften Personen aus dem Verein geleitet werden mussten, war es dringend an der Zeit, den ausgedünnten Hilfsschiedsrichterkader des Klubs entsprechend aufzurüsten. Dankenswerterweise erklärten sich die Spieler Wiesinger und Plakolb bereit, die eintägige Ausbildung zu absolvieren. Damit standen dem Verein zu diesem Zeitpunkt immerhin vier Personen für diese wichtige Aufgabe zur Verfügung. Für viele der zweifellos fleißigen Funktionäre des Vereins stellte das unbeliebte Amt des Hilfsschiedsrichters seit jeher ein rotes Tuch dar, sodass die nunmehrige Besetzung weiterhin eine ausgesprochen dünne war.

Da der SV Pasching 16 als einer der wenigen Klubs der Liga keine Spielergehälter bezahlen konnte, waren von der Transferperiode des Sommers 2018 keine großen Würfe zu erwarten. Man schaffte es dennoch, den Personalstand zumindest quantitativ auf Verbandsniveau zu hieven. Dank vierzehn Neuzugängen wurden die letzten kritischen Stimmen, die an der Fähigkeit zur Stellung einer Reservemannschaft gezweifelt hatten, eines Besseren belehrt.

Um der Chronistenpflicht Genüge zu tun, muss an dieser Stelle aber erwähnt werden, dass es sich bei sämtlichen Neuverpflichtungen ausschließlich um Reservespieler oder vereinslose Kicker handelte. Mit den genannten Reservisten konnte aber von Neo-Funktionär Arno - für einen neuen Verein strategisch besonders wichtig - auch der eine oder andere alte Haudegen nach Pasching gelockt werden.

Die schon aufgrund des Regulativs wichtigsten Neuzugänge waren aber wohl die beiden Sechzehnjährigen Gutenthaler und Bajramovic. Wären sie nicht geholt worden, hätte der SV Pasching 16, der ja bekanntlich erst dabei war, eine Nachwuchsabteilung aufzubauen, keinen für die

Startelf verpflichtenden U22-Spieler stellen können. Klarerweise mussten die beiden aber erst behutsam an den Erwachsenenfußball herangeführt werden, was wenige Wochen vor Meisterschaftsstart natürlich eine große Herausforderung darstellte.

***

Während die ersten Nachwuchs-Schnuppertrainings mit durchaus respektablen Teilnehmerzahlen absolviert werden konnten, machten sich auch die beiden Erwachsenenmannschaften ans Werk. Konkret wurde die Sommervorbereitung mit einem fast schon zur Tradition gewordenen internen Testspiel eröffnet.

Am vorübergehend zu einer zweiten Heimat gewordenen Auwiesener Sportpark standen sich daher viele neue Gesichter gegenüber. Das erste Beschnuppern verlief ohne gröbere Reibereien, und es konnte ein vorsichtig positives erstes Fazit gezogen werden.

Auch der erste echte Testgegner war mit viel Bedacht ausgewählt worden. So duellierte man sich mit dem Reserveteam von Bezirksligist Allhaming. In einem engen Spiel konnte man durch Tore von Rechberger und Rienesl mit 2:1 gewinnen. Eine Woche später traf man auf die U18 von Blaue Elf Linz. Im Wasserwald trennte man sich am Ende brüderlich mit 3:3. Die Treffer besorgten dabei Pernegger, Rechberger und Maurer.

Einen ersten Dämpfer erlitt die Paschinger Elf schließlich gegen Siebtligist Alkoven, als man mit 0:11 unter die Räder kam. Zwar spielten die Alkovener eine Liga höher, derartig hoch zu verlieren hätte man aber nicht unbedingt erwarten müssen.

Auch das letzte Testspiel vor Meisterschaftsbeginn verlief nicht wirklich erbaulich. Obwohl man am Anfang gut mitgespielt hatte und das Resultat sicherlich etwas zu hoch ausgefallen war, zog man bei der Reserve von Bezirksligist Doppl-Hart mit 2:5 den Kürzeren. Für Pasching trafen in diesem Spiel Rechberger und Mat. Stütz.

Der Kampf mit dem Flutlicht - Gastfreundschaft auf Albanisch

Die erste Runde bescherte dem SV Pasching 16 eine ungewohnt kurze Auswärtsfahrt. Mit dem FC Dardania Linz stand man dem einzigen Fußballverein des Landes gegenüber, der noch um einen Hauch jünger als die Paschinger Neugründung war.

Beide Vereine waren erst in der Vorsaison in den Meisterschaftsbetrieb eingestiegen. Für den exzellent organisierten Verein der albanischen Minderheit, der unter anderem auch einen Ableger in der Schweiz hat, war die Premierensaison mit Platz acht und dreißig Punkten aber deutlich besser verlaufen als jene der Paschinger.

Dass die Reserve an diesem Sonntag im August ihr allererstes Spiel machen würde, war lange Zeit ungewiss. Der FC Dardania hat zu Beginn der Herbstsaison traditionell mit vielen Heimaturlauben zu kämpfen. So wurde auch angefragt, ob man das Spiel der beiden Reserveteams verschieben könne.

Der SV Pasching entschied sich schließlich nach langen Überlegungen dagegen, bestand auf die Austragung. Einerseits wäre es taktisch unklug gewesen, sich schon bei besten Bedingungen im Sommer ein Terminfass aufzumachen, andererseits kam es ganz gelegen, dass der Gegner beim historisch allerersten Reservespiel nicht topbesetzt war. Man fand das irgendwie nur fair.

Die Nicht-Einigung über die Verschiebung des Spiels sollte aber der letzte kleine Dissens gewesen sein.

Angekommen am Don-Bosco-Platz, muss man sich fast ein wenig in den hiesigen Verein verlieben. Alles läuft hier locker und gemütlich ab, einige Männer mit braunen Augen und schwarzem Bart grüßen die Ankömmlinge freundlich. Die vielen Vorurteile, die im Fußball-Milieu schnell entstehen, sobald jemand anders ist, waren für den SV Pasching nie ein Thema. Man entschloss sich, offen auf die Kollegen aus Linz zuzugehen, und bekam im Gegenzug prompt auch viel Respekt und Herzlichkeit zu spüren.

Beim Blick auf die Aufstellung der Paschinger Reserve machten sich leicht sentimentale Gefühle breit, zumal das Gros der Mannschaft aus Akteuren bestand, die während der schwierigen Vorsaison weggebrochen waren. Die Spielzeit im Mühlviertel war aufgrund der vielen hohen Niederlagen auch in personeller Hinsicht aufreibend gewesen. Auch stellte sich Kampfmannschaftstrainer Roider, seit dem vierten Spieltag der Vorsaison im Amt und bereits über 50 Jahre alt, als Ersatzspieler zur Verfügung. Er sollte schließlich in der 75. Minute auch eingewechselt werden.

Das trotz so mancher Reunion neu formierte Team hatte zu Beginn aber noch deutliche Schwierigkeiten. Der FC Dardania, mit 13 Akteuren am Spielbericht zunächst doch besser besetzt als erwartet, nutzte dies, um mit einem Doppelschlag 2:0 in Führung zu gehen. Mit einem weiteren solchen schoss man sich zur Pause bereits einen 4:0-Vorsprung heraus.

Im zweiten Abschnitt wendete sich dann das Blatt. Der FC Dardania musste den einen oder anderen Spieler für die Kampfmannschaft schonen, auch die Verletzung eines weiteren Akteurs sorgte für einen weiteren zahlenmäßigen Verlust. So kam es, dass die Heimischen Mitte der zweiten Halbzeit plötzlich nur noch zu neunt auf dem Platz waren. Die neu formierte Paschinger Reserve nutzte diesen Umstand prompt zum 4:1 durch Hackl. Er hatte in der Vorsaison die Kampfmannschaft noch zum viel umjubelten ersten und bis dato einzigen Sieg der Vereinsgeschichte geschossen.

Pasching hatte nun eine klare Feldüberlegenheit, die vielen Chancen blieben aber ungenutzt. In der 80. Minute gelang dann Rogic der Anschlusstreffer zum 4:2. Die restlichen zehn Minuten wurden dann turbulent. Als Rogic nur wenige Sekunden nach seinem Treffer im Strafraum gelegt wurde, blieb die Pfeife des über 90 Minuten wirklich fair agierenden Unparteiischen der Heimelf aber stumm.

Da auch noch die eine oder andere Torgelegenheit verjubelt wurde, brachte Dardania den Vorsprung schließlich über die Zeit. Mit nur zwei Toren Unterschied zu verlieren, war für die Premiere der Reserve, die vor der Saison aus organisatorischen Gründen noch als großes Sorgenkind gehandelt worden war, ganz in Ordnung.

Da man im Vorspiel bereits Blut geleckt hatte, richteten sich die Blicke nun gespannt auf das unmittelbar danach stattfindende Duell der Kampfmannschaften.

Dardania war natürlich auch in der „Ersten" nicht optimal besetzt, in der Vorsaison konnte man sich aber stets auf die imposante Heimstärke verlassen. Dass man über den mit Abstand kleinsten Sportplatz der Liga verfügte, war da natürlich nicht von Nachteil.

Wie schon so oft in der Vorsaison, geriet man auch im ersten Match der neuen Spielzeit früh in Rückstand. So musste Torhüter Benda den Ball bereits nach drei Minuten aus dem eigenen Netz fischen. Was dieses Mal zum Glück ausblieb, war der komplette Einbruch. Schwarz-Grün spielte gefällig mit und lieferte ersatzgeschwächten Gastgebern einen offenen Schlagabtausch, Torchancen blieben dennoch auf beiden Seiten eine Seltenheit.

Unmittelbar nach Wiederbeginn gab es dann vor etwa 150 Zuschauern Grund zum Jubeln. Manuel Rechberger fasste sich ein Herz und traf zum 1:1-Ausgleich.

Nicht wenige der mitgereisten Paschinger sehnten an dieser Stelle den Abpfiff herbei. Speziell der Autor dieses Buchs ertappte sich dabei, alle 30 Sekunden auf die Uhr zu sehen. Nach dem Ausgleich waren es zunächst aber sogar die Gäste, die Dampf machten, es jedoch verabsäumten, ein zweites Tor zu erzielen.

Dardania übernahm dann ab der 65. Minute allmählich wieder das Kommando. Zehn Minuten später gelang den Hausherren schließlich auch das 2:1.

Die Paschinger, die bis zu diesem Zeitpunkt tapfer mitgehalten hatten, warfen nun alles nach vorne. Je länger das Spiel dauerte, desto mehr hatte man den Eindruck, der Ausgleich könnte tatsächlich gelingen. Dardanias passabler Notelf schien allmählich etwas die Luft auszugehen. Unsere Helden in Schwarz-Grün wurden vor allem aus Standards gefährlich, die eine oder andere gute Gelegenheit wurde aber vergeben, sodass es am Ende bei einer knappen Auftaktniederlage blieb.

Der leidgeprüfte Trainer Roider, als ehemaliger Paschinger Landesliga-Kicker immer mit vollem Herzen dabei, setzte sich nach dem Spiel enttäuscht in die Mannschaftskabine und meinte zurecht, dass an diesem Tag mehr möglich gewesen wäre.

Andererseits wäre angesichts der katastrophalen Premierensaison ein Punktgewinn am ersten Spieltag beinahe kitschig schön gewesen. Wer sich von einem kaum veränderten Kader rasch Wunderdinge erwartete, war ohnehin ein Träumer. Als einziger Neuzugang stand in der Kampfmannschaft der erst 16-jährige Gutenthaler auf dem Platz. Er machte seine Sache sehr unaufgeregt, erhielt dafür auch ein Lob vom Trainer.

***

In Runde zwei stand das Heimspiel gegen die Union
Edelweiß 1b am Programm. Sogenannte „zweite
Anzüge" von Viertligisten sind traditionell schwierig
einzuschätzen, zumal die Aufstellung der 1b in der
Regel stark von der Kadersituation der Oberösterreich-
Liga-Mannschaft abhängt.

Bei den Nachwuchshoffnungen von Edelweiß Linz
gab es aber den Grundsatz, dass ausschließlich junge
Spieler, hin und wieder von ein bis zwei alten
Haudegen geführt, zum Einsatz kommen. So sollte sich
das auch dieses Mal darstellen. Auch der zweite
Gegner der Saison hatte aber urlaubsbedingt mit der
einen oder anderen Personalie zu kämpfen.

Mit denselben Problemen war aber leider auch der
SV Pasching 16 konfrontiert. Aus unterschiedlichen
Gründen standen für diese am späten Samstagabend
ausgetragene Begegnung leider einige Stammkräfte
nicht zur Verfügung. Trainer Roider musste im
Gegenteil wie so oft eine absolute Rumpf-Elf auf den
Rasen schicken.

Wenige Minuten nachdem das Spiel begonnen hatte,
wurde routinemäßig das Flutlicht eingeschaltet. Leider
aber sollte nur die Hälfte der rund um das Spielfeld
postierten Masten tatsächlich aufleuchten. Aufgrund
der guten Beziehungen des Autors zum Sportplatz-
Pächter LASK konnte, obwohl es Samstag gegen 20 Uhr

war, sofort die Geschäftsführung des Bundesliga-Klubs konsultiert werden. So wurde der Haus- und Hoflieferant rasch ausfindig gemacht und eine schnelle Erlaubnis für die Reparatur eingeholt.

Da sich trotz Wochenendes und fortgeschrittener Stunde auch der Elektriker bereit erklärt hatte, zu kommen, keimte noch einmal Hoffnung auf, dieses Spiel auch beenden zu können. Wir schreiben mittlerweile die 40. Minute und es stand in einem Spiel, von welchem die Funktionäre nur wenig mitbekamen, immer noch 0:0.

Pünktlich zur Halbzeitpause trafen dann zwei Personen des Elektriker-Unternehmens ein. Der Schaden wurde aber lange ohne konkretes Ergebnis begutachtet, was die Chancen für eine sportliche Beendigung des Spiels entscheidend schwinden ließ.

Da es zur Halbzeitpause immer noch 0:0 stand, stieg die Nervosität von Minute zu Minute an. Während einige Funktionäre beim Schaltkasten standen und mit dem Handy Verbindung zum Elektriker hielten, nutzte der Autor seine Vergangenheit als Fußballschiedsrichter, um mit dem ehemaligen Kollegen ausführlich zu sprechen. Schließlich lag es in letzter Konsequenz im Ermessen des Unparteiischen, die Begegnung bei Dunkelheit abzubrechen. Auch wurden Gespräche mit der Gästemannschaft geführt, in denen präventiv an die sportliche Fairness appelliert wurde.

Zur Stundenmarke spitzte sich die Situation weiterhin zu. Leider konnten weder das konsultierte Unternehmen noch der verletzte Mannschaftkapitän, im Beruf selbst Elektriker, den Schaden unmittelbar beheben. Nach kurzer Erklärung musste die Firma deshalb ohne Erfolgsmeldung den Platz wieder verlassen. Im Spiel stand es weiterhin 0:0.

Unerträglich wurde die Situation schließlich um die 75. Minute herum. Es stand immer noch torlos, die Südseite des Platzes befand sich jedoch in einem bereits sehr problematischen Halbdunkel, die Nordseite war weiterhin halbwegs passabel ausgeleuchtet. Die Edelweiß Juniors und ihr Trainer murrten zwar leise, abtreten wollte man aber noch nicht. Auch der Schiedsrichter schien entschlossen, das Spiel trotz der schwierigen Bedingungen nicht abzubrechen.

In der 80. Minute fasste sich schließlich ein Edelweiß-Akteur von der Strafraumgrenze aus ein Herz, sein Schuss prallte aber an den rechten Pfosten, sodass es weiterhin 0:0 stand. Somit war nach dem legendären 3:2-Sieg gegen Unterweißenbach in der Vorsaison der zweite Punktgewinn der Vereinsgeschichte zum Greifen nahe.

Die letzten zehn Minuten verliefen jedoch weiterhin zäh. Es wurde nun immer finsterer, auf der Südseite war kaum noch etwas zu sehen. Man muss den Gästen wirklich ein Kompliment aussprechen. Es wäre ein

Leichtes gewesen, unverzüglich abzutreten und am grünen Tisch drei Punkte in Empfang zu nehmen. Auch kann man sich selbstverständlich beim Schiedsrichter bedanken, dass der Schlusspfiff erst nach 92 Minuten erfolgt war.

Die Mannschaft hielt tatsächlich das 0:0. Überragender Mann des Spiels war dabei neben Tormann Benda vor allem Routinier Tichy, der als verlängerter Arm des Trainers ein unerfahrenes Team, von welchem in der Rückrunde nur noch drei Spieler im Kampfmannschaftkader verbleiben sollten, tatsächlich zum ersten Punktgewinn der noch jungen Saison führte.

Aus Angst, die Gäste könnten die Wertung des Spiels noch im Nachhinein beeinspruchen, wurde auch nach der Begegnung noch entsprechend Politik gemacht. So wurden die Gästebetreuer gleich nach dem Abpfiff mit Essen und Getränken versorgt. Ein Protest wurde schließlich nie eingereicht. Respekt vor der sportlichen Fairness der Union Edelweiß Linz!

Nackenschläge

In Runde drei wartete niemand Geringerer als der noch makellose Tabellenführer Westbahn. Die Fußballsektion der „Eisenbahner" aus Linz hatte offenbar eine Menge Geld in den Kader gepumpt, damit auch ein hohes Maß an Qualität zur Verfügung. Da die Paschinger Mannschaft nach ersten zarten Erfolgen gerne dazu tendierte, ein übergroßes Selbstvertrauen aufzubauen, durfte man schon vorweg Schlimmes erahnen.

Das Spiel sollte auch, soviel sei vorweggenommen, schrecklich werden. Zunächst war aber die Reservemannschaft, gegen die als Amateurteam geltenden Edelweiß Juniors noch spielfrei, an der Reihe. Unsere zweite Mannschaft hielt sich im Duell mit den Gastgebern aus Linz über weite Strecken beachtlich gut, zur Pause lag man lediglich mit 1:2 in Rückstand.

In der zweiten Halbzeit wurde man durch Verletzungen zurückgeworfen, musste das Spiel diesmal selbst zu neunt beenden. Am Ende unterlag man den Linzern mit 1:5. In Erinnerung bleibt hier ein für uns neues gegnerisches Verhalten. Zum ersten Mal seit der Neugründung standen wir einer Mannschaft gegenüber, die uns während des Spiels auslachte. Auch waren seitens der Heimelf immer wieder unverständliche Aggressionen im Spiel, die unsere Mannschaft selbstverständlich nicht erwiderte.

Vor dem Spiel der beiden Kampfmannschaften wurde von den Paschinger Funktionären eine vom Computer nicht korrekt wiedergegebene Aufstellung unterschrieben, da diese noch vor Abpfiff vom Platzsprecher verlesen worden war, konnte man aber noch reagieren und die Startelf entsprechend umändern.

Leider sollte aber auch der Mannschaft am Platz das eine oder andere Hoppala unterlaufen. Pasching war gegen die Übermacht der mit Legionären verstärkten Linzer chancenlos und heillos überfordert. Schon nach einer halben Minute stand es 6:0. Dieses Resultat hielt 30 weitere Minuten, ehe die Heimelf im zweiten Durchgang vier weitere Treffer nachlegen konnte. Paschings einzigen Treffer erzielte Strassern mit viel Wut im Bauch in der 75. Minute.

Mit diesem 1:10 erlitt man nun auch erstmals in der Region Linz eine herbe Schlappe. Derart deutliche Niederlagen gab es in der Premierensaison im Mühlviertel leider zuhauf. Es stellten sich rasch die gewohnten Reflexe ein, dem zarten Pflänzchen der Euphorie nach dem gewonnenen Punkt folgte rasch eine große Depression.

***

Als gelernter Pasching-16-Fan musste man Angst
haben, dass die Mannschaft in der kommenden Runde
gegen den ATSV St. Martin erneut abbeißen würde.
Immerhin gingen stark verstärkte Trauner mit einem
äußerst ambitionierten Kader in die neue Saison. Aus
den ersten drei Runden hatte sich die vom ehemaligen
Konyaspor-Spieler Serkan Arslan betreute Mannschaft
immerhin sechs Punkte erkämpft, während wir
unaufhaltsam auf unseren angestammten letzten
Tabellenplatz zusteuerten.

Mit viel taktischer Disziplin und einem hohen
Kampfgeist (Tichy spielte diesmal wieder) fiel man
trotz frühen Rückstands, für den der ehemalige
Paschinger Nachwuchskicker und Topscorer
Mohammadi gesorgt hatte, nicht auseinander. Im
zweiten Abschnitt kam man mit der einen oder
anderen Halbchance sogar hin und wieder gefährlich
vor das Tor der Gäste, die letztlich aber einen nicht
unverdienten 2:0-Sieg feierten.

Nach dem Spiel war man im Paschinger Lager trotz
folglicher Übernahme der roten Laterne sehr
zufrieden. Die Mannschaft hatte wirklich alle Vorgaben
eingehalten und trotz eklatanter individueller
Unterlegenheit ein tolles Spiel abgeliefert. Die Reserve
unterlag mit 2:5.

***

Um tatsächlich der Verein der Paschinger zu sein, war es den Funktionären seit Durchführung der Neugründung ein Anliegen, im gesellschaftlichen Leben der Gemeinde Fuß zu fassen. War man in der Premierensaison im Mühlviertel noch damit beschäftigt gewesen, für jede Begegnung eine ausreichende Anzahl an Spielern zu motivieren, widmete man sich im zweiten Jahr erstmals der Teilnahme an örtlichen Festivitäten.

Den Auftakt dazu markierte das im größten Paschinger Ortsteil Langholzfeld ausgetragene Weinfest. Da dieses für gewöhnlich seine Schatten weit vorauswirft, war schon einige Wochen zuvor die Teilnahme an unterschiedlichen Vorbereitungsveranstaltungen, welche der Abstimmung mit den anderen ausstellenden Vereinen dienen, erforderlich.

Der SV Pasching 16 durfte sich als Debütant am rechten hinteren Ende des Pfarrsaals platzieren. Der großzügig mit Wimpeln, Trikots und Schals aus vergangenen und aktuellen Zeiten geschmückte Stand wurde von vielen interessierten Besuchern aufgesucht. So ergaben sich spannende Gespräche, und das Projekt konnte in Pasching wieder ein Stück weit bekannter gemacht werden. Betreut wurde der Ausschank ausgewählter Weine von

Vereinsfunktionären, Freundinnen bzw. Gattinnen sowie dem einen oder anderen Spieler.

Dass bei weitem nicht die gesamte Mannschaft gekommen war, vermochte aufgrund der Tatsache, dass am nächsten Tag das wichtige Spiel gegen den letztjährigen Tabellenletzten, SV Franckviertel, anstehen sollte, nicht zu stören. Man war vielmehr froh, dass die Mannschaft fit und ausgeruht in dieses Spiel gehen konnte.

***

Am darauffolgenden Morgen, es war ein heißer
Samstag im September, war für Katerstimmung keine
Zeit. Ein Teil der Funktionäre machte sich auf den Weg
nach Kirchberg-Thening, wo die Nachwuchsteams der
U6 und U8 erstmals an einem Turnier teilnehmen
sollten.

Beide schlugen sich beachtlich und alle Spiele
konnten problemlos bestritten werden. Der eine oder
andere arrivierte Verein aus der Region konnte diese
Voraussetzung an jenem Tag nicht erfüllen.

Der Rest des Vereins reiste am späten Vormittag ins
Franckviertel, wo sich Reserve und Kampfmannschaft
Punktezuwachs ausrechnen durften. Der SV
Franckviertel, der vor wenigen Jahren noch unter dem
Namen SV Chemie Linz aufgelaufen war, gilt als
absoluter Traditionsverein, in den letzten Jahren hatte
aber auch die „rote Laterne" im sogenannten
„Glasscherbenviertel" Tradition. Mit hohem Einsatz
und noch mehr Funktionärs-Herzblut konnte dieser
bedeutende Klub aber bis heute am Leben gehalten
werden.

Die Reserve fand in der Anfangsphase prompt eine
abenteuerlich verjuxte hundertprozentige Torchance
auf das 1:0 vor, musste jedoch wenig später einen
Doppelschlag des Gegners hinnehmen. So plätscherte
das Spiel bis zum Schlusspfiff dahin, um schließlich mit

einem 5:1 (Torschütze Rogic) für die Hausherren zu enden. Die erhoffte Moralinjektion für die Kampfmannschaft blieb damit aus.

Auch die „Erste" konnte, soviel sei vorweggenommen, nicht an die hohen Erwartungen, mit denen man in dieses Spiel gegangen war, anknüpfen. Ab der zehnten Minute lief man einem 0:1-Rückstand hinterher, mit dem es schließlich auch in die Pause ging.

Im zweiten Durchgang versuchte man noch einmal alles, der Ausgleich wollte aber einfach nicht gelingen. Die Franckviertler hatten einen wirklich guten Tag erwischt und konnten mit einem Treffer in der 70. Minute alles klarmachen. Im Paschinger Spiel passte an diesem Tag einiges nicht zusammen. Da passte auch eine völlig unnötige Gelb-Rote Karte wegen Ballwegschießens perfekt ins Bild.

Dass Mat. Stütz in der Schlussminute mit einem Gewaltschuss noch der Ehrentreffer zum 3:1-Endstand gelang, konnte enttäuschte Paschinger nicht wirklich trösten.

Diese Niederlage war natürlich Gift für die Moral der Mannschaft. Alle Beteiligten wussten ganz genau, dass die kommenden Aufgaben um einiges schwerer werden würden. Da die Kräfteverhältnisse der einzelnen Teams in dieser Liga sehr stark auseinanderklafften, sprach viel dafür, dass man wohl mit dem einen Punkt, den man am zweiten Spieltag gegen die Edelweiß Juniors erobert hatte, in die Winterpause gehen würde.

Auszug Tabellenstand nach fünf Runden:

11.	Edelweiß Juniors	5	- 4	3
12.	Babenberg	4	- 7	1
13.	**SV Pasching 16**	**5**	**-14**	**1**

Quelle: ofv.at

***

Auch die darauffolgenden Wochen verliefen äußerst ernüchternd. Zunächst stand das nur auf den ersten Blick als solches wirkende „Kellerderby" gegen die Union Babenberg auf dem Programm. Die Mannschaft aus Linz-Keferfeld – normalerweise ein Team aus dem oberen Mittelfeld - hatte einen veritablen Horrorstart zu beklagen, lag daher mit einem Spiel weniger als der SV Pasching überraschend am vorletzten Tabellenplatz.

Man sah den Gästen am Wagramer „Viererplatz" dementsprechend zunächst auch eine gewisse Unsicherheit an. Leider aber war unsere immer noch nicht ligataugliche Mannschaft in dieser Situation der richtige Aufbaugegner für die Schwarz-Weißen.

Mit seinem Treffer in der 35. Minute eröffnete Babenbergs wichtigster Spieler Hartl den Torreigen. Am Ende sollten die Linzer über einen nie gefährdeten 5:0-Sieg jubeln dürfen.

Aufseiten der Paschinger ereigneten sich teils haarsträubende Fehler und beim einen oder anderen Spieler offenbarte sich leider auch ein Mangel an Einsatzbereitschaft. Die Zuschauer waren sich nach dem Spiel einig: Man hatte am heutigen Tag einen Toten zum Leben erweckt.

***

Während Babenberg von diesem Zeitpunkt der Meisterschaft an das Teilnehmerfeld von hinten aufrollen sollte, zeigte bei den Jungs vom SV Pasching 16 der Pfeil nach unten. Beim 0:8 am Auwiesener Ausweichplatz gegen Ebelsberg präsentierte man sich beinahe inferior, das 0:6 gegen ein kadermäßig stark aufmagaziniertes Stahl Linz war wieder einigermaßen vertretbar. Die Linzer spielten doch in einer gänzlich anderen Liga als unsere grün-schwarzen Helden.

Leider konnte auch die noch punktelose Reserve (0:5 und 1:5) die Kohlen nicht wirklich aus dem Feuer holen. Kurioser Fakt am Rande: Die zweite Mannschaft erhielt damit sechsmal in Serie fünf Gegentore, ein richtig bitteres Debakel blieb in den ersten Spielen seit der Feuertaufe aber aus.

Mitte Oktober kam es dann in der Fremde zum heiß ersehnten Derby gegen die ASKÖ Leonding. Auch die Jungs aus der Nachbarstadt, in der Vorsaison aus der 1. Klasse Mitte abgestiegen, gingen natürlich mit völlig anderen Voraussetzungen in dieses Spiel. Die Kampfmannschaft des SV Pasching 16 sollte an diesem Freitagabend aber eines ihrer bislang besten Spiele abliefern.

Zunächst dauerte es nach längerer Zeit wieder einmal immerhin eine halbe Stunde, bis die Kugel im

Paschinger Netz zappelte. Leonding erhöhte bis zur Pause standesgemäß auf 3:0, zur Stundenmarke fiel schließlich der vierte Treffer der Hausherren.

Anstatt sich ihrem Schicksal zu fügen, rissen sich die Paschinger aber am Riemen und kamen so immer wieder zu Torchancen. Nach 64 Minuten verkürzte schließlich Maurer auf 4:1. Nur 120 Sekunden später stand es nach einem Treffer von F. Öfferlbauer plötzlich 4:2. Die Hausherren reagierten etwas fahrig, und Pasching kam zu weiteren Chancen, das 4:3 wollte aber einfach nicht fallen.

So waren es am Ende die Leondinger, die mit dem Treffer zum 5:2-Endstand den Deckel draufmachten. Nach dem Spiel wollte sich aber niemand so wirklich über die fix eingeplante Niederlage ärgern, vielmehr war man erleichtert, dass die Mannschaft nach einem längeren Durchhänger wieder einmal ein Lebenszeichen gezeigt hatte.

Die Reserve konnte im ein paar Tage später ausgetragenen Duell die ominöse „5-Gegentore-Serie" abschütteln. Dieses Mal unterlag man mit 1:4 (Torschütze Humza).

***

An manchen Stellen muss man als Funktionär oder Projektinitiator fast ein schlechtes Gewissen haben. Auch die zweite Saison bestritt der SV Pasching 16 notgedrungen mit einem Kader, der schlichtweg mit Abstand der schwächste der gesamten Liga war. Umso höher ist es der Mannschaft anzurechnen, dass sie sich mit wenigen Ausnahmen immer wieder und Woche für Woche gegen die mitunter hohen Niederlagen stemmte.

Dem leichten sportlichen Aufbäumen gegen die ASKÖ Leonding war auch eine schöne Initiative mehrerer Spieler vorausgegangen, die eine Kiste Bier zum Training mitgenommen und diese nach der Einheit gemeinsam mit der restlichen Mannschaft konsumiert hatten. Man wollte in entspannter Atmosphäre teamintern miteinander sprechen und sich auf die kommenden Aufgaben einschwören. Ein Unterfangen, das bekanntlich mit einer guten Leistung gegen einen Lokalrivalen belohnt wurde.

Ein Sir sagt leise „Servus"

Im Linzer Speckgürtel wurde es allmählich kälter. Lange Unterziehleibchen der Spieler sowie nasskaltes Wetter kündigten langsam aber sicher den Spätherbst und damit verbunden das Ende der Hinrunde an.

Auch eine viel zu kurze Trainer-Ära sollte in diesen Tagen ihr Ende finden. Hans-Jörg Roider, einst Co-Trainer unter Georg Zellhofer, hatte unser Projekt seit dem vierten Spieltag der Vorsaison (siehe Buch *„Die Odyssee des SV Pasching 16"*) als Coach betreut. Nach 31 Meisterschaftsspielen warf „Jörg" schließlich nach einem inferioren 0:13 gegen ASKÖ Donau Linz 1b das Handtuch.

Man konnte Roider, der fast eineinhalb Jahre auf der Trainerposition mit stumpfen Waffen kämpfen musste, verstehen. Die Intention des Trainer-Sirs, der nach der Klatsche gegen die junge Donau-Mannschaft äußerst geknickt wirkte, war es, Platz für etwas Neues zu machen. Speziell die Vereinsgründer bedauerten die Entscheidung Roiders, am Ende musste diese aber zur Kenntnis genommen werden.

Als sportliche Highlights seiner Trainer-Ära bleiben unter anderem der erste und bislang einzige Meisterschaftssieg (3:2 gegen Unterweißenbach) sowie der Punktgewinn beim 0:0 gegen die Edelweiß Juniors in Erinnerung.

An dieser Stelle soll auch nicht unerwähnt bleiben, dass Roider seine wertvolle Trainertätigkeit stets ehrenamtlich ausgeführt hatte. Im modernen

Amateurfußball ist das bekanntlich alles andere als eine Selbstverständlichkeit. Selbst bei finanziell vernünftig agierenden Vereinen werden Trainer und Nachwuchstrainer zumindest für ihre Aufwände entschädigt, Roider hingegen hatte auf eigenen Wunsch nie einen einzigen Cent vom Verein gesehen.

Neben seiner ruhigen und unaufgeregten Art zeichnet Roider eben diese unendliche Zuneigung zum Projekt „SV Pasching 16" aus. Dem gesamten Verein war es daher ein großes Anliegen, diesen sowohl in menschlicher als auch in sportlicher Hinsicht immens wertvollen Eckpfeiler dieses Projekts nach einer kurzen Verschnaufpause in den Vorstand zu integrieren.

***

Roiders Nachfolger auf der Trainerposition hieß Josef Z. Auch ihm, der sehr engagiert an die neue Aufgabe herangegangen war, gelang es vor der Winterpause freilich nicht, das Unmögliche möglich zu machen und aus der Mannschaft in kurzer Zeit ein Siegerteam zu formen.

So gingen die Spiele gegen den SV Urfahr und Titelfavorit Union Puchenau jeweils mit 0:6 verloren. Diese Matches fielen in die Kategorie Durschnitt, die Leistungen waren über weite Strecken „okay", Funktionäre und Spieler waren aber erleichtert, dass es nun endlich in die Winterpause ging.

Auszug Tabellenstand nach der Hinrunde

11.	SV Franckviertel	12	-36	6
12.	Edelweiß Juniors	12	-21	4
13.	**SV Pasching 16**	**12**	**-61**	**1**

Quelle: ofv.at

***

Auch in der mit fünf Monaten wirklich grenzwertig langen Winterpause blieb sich der SV Pasching 16 treu. So wurde der Fokus neben kleinen sportlichen Entwicklungsschritten auch auf die Etablierung des Vereins in der Heimatgemeinde gelegt.

Nach dem Debüt beim Weinfest im Herbst stand nun die erste Teilnahme am traditionellen Langholzfelder Adventmarkt am Programm. Dieses Mal packten auch die Spieler fleißig mit an. Nicht wenige von ihnen ließen sich in die berühmten Dreierschichten, die abwechselnd für ein paar Stunden ausschenkten, einteilen. Am Vortag des zweitägigen Events war gemeinsam die dafür erforderliche Holzhütte aufgestellt worden.

Bei unserem „ersten Mal" am Adventmarkt wurde gleich unter anderem ein selbstgemachter Punsch ausgeschenkt. Obwohl die veranstaltenden Vereine großes Pech mit dem Wetter hatten, konnten wieder einige wertvolle Begegnungen realisiert werden.

Schön war auch, dass sich der scheidende Trainer Roider Zeit zum Ausschenken nahm. Eine tolle Geste und für alle die enorm erleichternde Gewissheit, dass dieser unserem Projekt tatsächlich treu bleiben würde.

Der scheidende Coach war auch bei der Weihnachtsfeier der Erwachsenen-Abteilung im

Mittelpunkt. Mannschaft und Funktionäre sammelten zum Dank für die ehrenamtliche Tätigkeit ein paar Scheine und überreichten ihrem nunmehrigen Ex-Trainer Thermengutscheine. Zudem wurde ihm feierlich ein umrahmtes Trikot mit den Unterschriften aller Akteure überreicht.

Reserve schockt Tabellenführer

Auch zwei sehr verdiente Spieler wurden in diesem Winter verabschiedet. Routinier Tichy, der stets sein ganzes Können und seine ganze Erfahrung in die Waagschale geworfen hatte und die Qualität der Mannschaft damit entscheidend zu heben vermochte, musste seine aktive Karriere genau wie Dominik Hemmer, Kampfmannschafts-Torschütze gegen Baumgartenberg 2018, in diesen Monaten für beendet erklären.

Beide waren seit den Anfängen des Vereins im Jahr 2016, als man noch unregelmäßig auf einer nicht Amateurfußball-tauglichen Dorfwiese trainiert hatte, mit Herz und Seele beim Verein dabei. Nicht verlängert wurde die Leihe von Bajramovic, der zum ATSV St. Martin zurückkehrte.

Der SV Pasching 16 durfte sich zum Glück aber auch über einige Neuzugänge freuen. So schlossen sich Glashüttner (Grünau), Haudum (Franckviertel Reserve), Karatas (St. Martin/Tr. Reserve), Miglbauer (Schiedlberg Reserve), Plöckinger (Rottenegg Reserve), Ilas (Kirchberg-Thening Reserve) sowie Furuncu und Saabieh (zuletzt vereinslos) den Grün-Schwarzen an. Die Qualität im Kader konnte dadurch weiter angehoben werden.

An Quantität zulegen konnte man hingegen im Bereich der Vereinsschiedsrichter. Dieser wurde auf nunmehr zehn Aktive erhöht.

***

Die Winter-Testspiele waren nur bedingt aussagekräftig. Da man den SV Pasching 16 in Oberösterreich mittlerweile gut einschätzen konnte, schickten die Gegner nicht selten eine bessere Reservemannschaft aufs Spielfeld. So unterlag man zunächst dem zweiten Anzug von Kematen mit 1:3 (Torschütze Karatas), um wenig später einer schwach besetzten Union Mühlbach ein 1:1 (Torschütze Rechberger) abzuringen.

Im Februar trennte man sich in einem wesentlich interessanteren Vergleich mit demselben Ergebnis vom TSV St. Georgen an der Gusen, der nach einem Jahr Pause den Spielbetrieb wiederaufgenommen hatte. Torschütze war Team-Küken Gutenthaler, dem ein unglaublicher Distanzschuss ausgekommen war.

Es folgte eine klare 0:5-Niederlage gegen die Union Pichling und ein 0:3 gegen die 1b von HAKA Traun. Letztgenannte Begegnung musste zur Halbzeit aufgrund anhaltenden Schlechtwetters abgebrochen werden.

***

Der heiß ersehnte Rückrundenauftakt ließ den FC
Dardania am Viererplatz antanzen. Für die bisher
punktelose Reservemannschaft, die im Herbst
dennoch nie mehr als fünf Gegentore hinnehmen
musste, begann das neue Jahr mit einer Sensation. In
einem turbulenten Spiel war man über weite Strecken
die bessere Mannschaft, profitierte zudem von einem
Ausschluss der Gäste. Am Ende konnte durch Tore von
Ilas (2), Gruber und Pfeiffer ein sensationeller 4:3-
Erfolg errungen werden.

Die 1b sorgte damit im elften Spiel für den
allerersten Sieg ihrer noch kurzen Geschichte. Für
diesen Triumph suchte man sich ausgerechnet den
Tabellenführer, der im Herbst neun von zehn
Begegnungen gewinnen konnte, aus.

Die Kampfmannschaft konnte daran trotz
beachtlicher Leistung nicht ganz anknüpfen. Ein
Maurer-Treffer war bei der 1:3-Heimniederlage zu
wenig.

Bedeutend mehr durfte man vom Spiel der
Kampfmannschaft gegen die Edelweiß Juniors
erwarten. Schließlich traf man auf jenen Gegner, dem
man in der Hinrunde noch einen Punkt abgerungen
hatte.

Die jungen Edelweiß-Kicker, die in der Vorwoche

noch den SV Franckviertel bezwungen hatten, präsentierten sich aber um einen Tick stärker als im Herbst. Da sich aber auch der SV Pasching zur Winterpause personell weiterentwickeln konnte, hatte man bis zuletzt die Hoffnung, erneut anschreiben zu können.

Das Spiel begann aus Paschinger Sicht auch optimal. Nicht einmal fünf Minuten waren gespielt, da schob der spielende Kassier und Routinier Dunzinger bereits das Leder über die Linie.

Die Reaktion der Heimischen ließ allerdings nicht lange auf sich warten. Gazibara und Akademie-Spieler Breskic drehten den Spielstand nach einer halben Stunde in eine Edelweiß-Führung um. Kurz vor der Halbzeitpause zogen die jungen Linzer auf 3:1 davon.

Im zweiten Durchgang gaben die Grün-Schwarzen noch einmal alles, mehr als das 2:3 durch Maurer sollte aber nicht mehr gelingen. In der Schlussphase gelang der Heimelf schließlich noch der Treffer zum 4:2-Endstand. Für die Mannschaft ein weiterer herber Rückschlag. Nach dieser Niederlage war der vorletzte Platz in beinahe illusorische Ferne gerückt.

Eine Woche nach der bitteren Niederlage am Edelweiß-Platz empfing man Tabellenführer Westbahn. Da am Paschinger „Viererplatz" Umbauarbeiten durchgeführt wurden, musste man auf den Linzer Sportplatz am Seidelbastweg ausweichen.

Dieser grenzt wiederum ausgerechnet an die Heimstätte von Gegner Westbahn.

Die Zuschauer der Gäste nutzten diesen Umstand zum Ärger der Paschinger Funktionäre, um ihren Konsumbedürfnissen in der ebenfalls zeitgleich geöffneten Sportplatzkantine des ESV Westbahn nachzugehen. Dass das an diesem Tag in der Form praktiziert wurde, ist schon irgendwo ein kleines Foul und hat mit Kollegialität nur wenig zu tun.

Diese ließ dafür der SV Pasching 16 walten. Da der Tabellenprimus keinen Linienrichter stellen konnte, kamen dieses Mal beide Assistenten aus Pasching.

Am Spielfeld sollte es kurios weitergehen. Westbahn dominierte trotz Rotation nach Belieben, ging zudem nach 20 Minuten durch einen verwandelten Foulelfmeter erwartungsgemäß in Führung.

Dieser Strafstoß sollte aber nur einer von gleich vier sein, die die Linzer an diesem Nachmittag zugesprochen bekamen. Die restlichen drei wurden in der Folge allesamt verjuxt. Beim vierten und letzten Elfmeter ließen die Gäste sogar ihren Torhüter antreten, der ebenfalls vergab.

Da Pasching inferior verteidigte, holte Westbahn aber neben einer rekordverdächtigen Anzahl an Strafstößen auch den einen oder anderen Treffer heraus. Am Ende setzte sich der Leader mit 5:1 durch. Der Ehrentreffer gelang dem etatmäßigen Verteidiger Stütz, der bei seinem überraschenden Debüt im Sturm prompt vollstrecken konnte.

Im Duell mit St. Martin musste die Kampfmannschaft eine Woche später mit einem 0:7 die nächste bittere Pille hinnehmen. Von einer Steigerung im Vergleich zur Hinrunde konnte dabei leider nicht die Rede sein. Anders erging es der Reserve, die im Vorspiel denkbar knapp und unglücklich mit 2:3 (Treffer P. Öfferlbauer und M. Zimmermann) unterlegen war.

***

Punktgewinne sind für den jungen SV Pasching 16 bekanntlich wie Ostern und Weihnachten an einem Tag. Dennoch wollte nach dem 1:1 der Kampfmannschaft am Ausweichplatz am Seidelbastweg gegen Franckviertel nur bedingt Freude aufkommen. Zu überlegen konnte man das Spiel gegen im Vergleich zum Herbst deutlich geschwächte Linzer gestalten.

Speziell in der Schlussphase wurde eine Reihe an hochkarätigen Torchancen grob fahrlässig liegen gelassen. Dennoch war man irgendwo auch erleichtert, wieder angeschrieben zu haben. Für die zwischenzeitliche Paschinger Führung sorgte nach einer knappen Stunde Rechberger, zehn Minuten später musste man aber den Ausgleich der Franckviertler hinnehmen.

Auszug Tabellenstand nach 17 Runden

11.	Edelweiß Juniors	17	-17	14
12.	SV Franckviertel	17	-49	7
13.	**SV Pasching 16**	**17**	**-76**	**2**

Quelle: ofv.at

Ebenfalls 1:1 spielte an diesem Tag die Reserve. Im Gegensatz zum Spiel der Kampfmannschaft konnte man hier aber uneingeschränkt von einem gewonnenen vierten Punkt sprechen, zumal der Ausgleich durch P. Öfferlbauer erst zehn Minuten vor Schluss fiel, Franckviertel davor seit der 15. Minute geführt hatte.

Als Schweinsteiger zum Training kam

Wie auch immer man ihn einordnen wollte, der Punkt gegen den SV Franckviertel hatte durchaus positive Auswirkungen auf die Moral der Mannschaft. So gab man bei der erwartbaren 1:3-Niederlage bei Union Babenberg eine doch recht akzeptable Figur ab.

Rechberger brachte Grün-Schwarz bereits nach acht Minuten überraschend in Führung. Babenberg drehte das Ergebnis allerdings noch kurz vor der Pause in eine 2:1-Führung um.

Auch im zweiten Durchgang hielten die Paschinger beherzt dagegen und hatten die eine oder andere Chance zum Ausgleich. Die Entscheidung fiel erst mit dem 3:1 für Babenberg in der Nachspielzeit. Nach dieser knappen Niederlage war man durchaus zufrieden mit der Leistung, haderte aber schon damit, knapp an einem überraschenden Punktgewinn vorbeigeschrammt zu sein.

Für eine weitere Moralinjektion sorgte unter der Woche ein prominenter Trainingsbesuch. Mit Tobias Schweinsteiger gab sich der aktuelle Trainer des FC Juniors OÖ überraschend eine komplette Trainingseinheit des SV Pasching 16. Für Spieler und Funktionäre natürlich eine tolle Sache.

Schweinsteiger, der wie sonst nur ein gewisser Thomas Tuchel die Theorieprüfung zur UEFA-A-Lizenz gänzlich ohne Fehler abgeschlossen hatte, war auch bereit, auf Anfrage Feedback zu geben.

Aufgrund der damaligen Pressesprecher-Tätigkeit des Autors beim Zweitligisten FC Juniors OÖ griff der sympathische Deutsche auch interessiert zur *„Odyssee des SV Pasching 16"*, die er binnen weniger Stunden verschlingen sollte. „Bewegte Geschichte, aber tolles Projekt", resümierte er nach der fußballerischen Lesereise ins Mühlviertel.

Schweinsteiger verfolgte auch regelmäßig die Ergebnisse sowohl der Kampfmannschaft als auch der Reserve des SV Pasching 16.

***

Auch gegen die ASKÖ Ebelsberg schrammten die Kicker
des SV Pasching 16 nur hauchdünn an einer Sensation
vorbei. Nach drei Minuten brachte Miglbauer Pasching
erneut früh in Führung, nach 20 Minuten dezimierte
man sich mit einer völlig unnötigen Gelb-Roten Karte
aber selbst. Folgerichtig war nun Ebelsberg am Drücker
und zur Pause plötzlich 3:1 vorne.

Im zweiten Durchgang brachte man sich dann
möglicherweise erneut selbst um einen Punktgewinn.
Miglbauer verkürzte auf 3:2 und Pasching drückte
vehement auf den Ausgleich.

Da zwar viele einsatzberechtigte Reservespieler nach
dem Vorspiel von der Tribüne aus zusahen, für die
nicht gerade üppig besetzte Ersatzbank aber unter
anderem der über 40-jährige Tormanntrainer als
Feldspieler nominiert worden war, musste dieser nach
einem verletzungsbedingten Wechsel 30 Minuten lang
stürmen. Ebelsberg erzielte in der Nachspielzeit
schließlich das entscheidende 4:2.

Nach dieser völlig unnötigen und vor allem selbst
verschuldeten Niederlage war der Ärger im Umfeld des
Vereins natürlich riesengroß. Man hatte sich hier
selbst einer wirklich großen Chance auf einen
überraschenden Punktgewinn beraubt.

Auch die bereits angesprochene Reserve war nah an

einem Punktgewinn dran, verlor am Ende aber knapp mit 3:5 (Tore Sas, P. Öfferlbauer, Plakolb).

In den folgenden Wochen standen zwei sogenannte „Freispiele" gegen die weit überlegenen Gegner Stahl Linz und ASKÖ Leonding auf dem Programm. Während man der Mannschaft beim 0:5 gegen die blau-weißen Linzer noch keine Vorwürfe machen konnte, zeigte man beim 1:8 (Torschütze Dunzinger) gegen die Nachbarn aus Leonding eine im Vergleich zur Hinrunde doch eher ernüchternde Leistung.

Die Reserve konnte ihre Niederlagen mit 1:3 (Torschütze Wiesinger) und 2:4 (Torschützen Hasani und Strassern) deutlich geringer halten.

***

Vor dem Auswärtsspiel gegen Donau Linz 1b rechnete man sich im Paschinger Lager durchaus Chancen auf einen Punktgewinn aus. Die jungen Kleinmünchner hatten ihre Aufstiegsambitionen längst aufgegeben und spielten nunmehr mit einer blutjungen Mannschaft. Diese konnte in der Vorwoche ihren obligatorischen Dreier gegen den SV Franckviertel erst in der Nachspielzeit eintüten.

So gingen die Paschinger frohen Mutes ans Werk und durch Tore von F. Öfferlbauer und Maurer früh mit 2:0 in Führung. Unfassbarerweise ließ man sich diese aber noch vor der Pause nehmen, und Donau ging mit einem 3:2 in die Halbzeit.

Nach Wiederbeginn gelang Karatas das 3:3, die jungen Kleinmünchner hatten in der Schlussphase aber mehr im Tank und gewannen das Spiel noch mit 5:3. Erneut hatte man also eine durchaus realistische Chance auf einen Punktgewinn liegengelassen.

Überraschend war auch, dass man in der vorletzten Runde einem angeschlagenen SV Urfahr sang- und klanglos mit 0:6 unterlag. Die Reserve machte es deutlich besser und fuhr mit einem 5:3 (Torschützen Ilas (2), Humza, Gruber und Hasani) den zweiten Saisonsieg ein.

***

Wie bereits in der Vorsaison, war man auch in der diesjährigen Spielzeit erster Gratulant des neuen Meisters. Während sich vor gut einem Jahr der SC Tragwein mit einem Kantersieg gegen den SV Pasching 16 den lang ersehnten Meistertitel gesichert hatte, war diese Ehre heuer der Union Puchenau beschieden. Die Elf aus dem Nordwesten von Linz setzte sich nach 24 Spielen im Fernduell mit einem Punkt Vorsprung auf ESV Westbahn durch.

Der Titel und der damit verbundene Direktaufstieg wurden mit einem trockenen 4:0-Sieg über Pasching sichergestellt. An diesem Tag war die Performance der Mannschaft wieder durchaus okay. Man hatte sich zum Saisonabschluss wirklich annehmbar präsentiert.

Umgekehrt musste die Reserve am letzten Spieltag ihre höchste Niederlage hinnehmen. Die zum Saisonende aufgrund steigender Unruhe und überraschender Nichtnominierungen merkbar ausgedünnte 1b-Mannschaft unterlag Puchenau mit 1:7 (Torschütze Klimitsch).

Auszug Tabelle Saison 2018/19

11.	Edelweiß Juniors	24	-	21	21
12.	SV Franckviertel	24	-	73	7
13.	**SV Pasching 16**	**24**		**-104**	**2**

Quelle: ofv.at

Corona verhinderte Übergabe der roten Laterne

Ausgehend von China breitete sich in der ersten Hälfte des Jahres 2020 eine Pandemie auf die gesamte Welt aus. Kurz vor Beginn der Rückrunde 2019/20 war der ÖFB gezwungen, sämtliche Fußballigen in Österreich abzubrechen. Gestützt auf ein Gutachten der Johannes-Kepler-Universität Linz wurden sämtliche Spiele und Ergebnisse der Hinrunde annulliert.

Auch auf den SV Pasching 16 hatte diese absolut korrekte und nachvollziehbare Entscheidung Auswirkungen. Obwohl man unter den Erwartungen geblieben war, hatte man den Herbst auf dem vorletzten Tabellenplatz beendet und war damit drauf und dran, zum ersten Mal die sogenannte „rote Laterne" des Schlusslichts abzugeben.

Die Spielzeit selbst war dennoch von großen Enttäuschungen geprägt. So startete man mit einem 1:7 gegen Treffling in die neue Saison. In dieses Spiel war man mit einigen neuen Spielern gegangen, Kampf und Mentalität schienen aber völlig verlorengegangen zu sein.

Spätestens an dieser Stelle schmerzte der Abschied einiger verdienter Spieler, die dem Verein im Sommer den Rücken gekehrt hatten. So musste man unter anderem den Abgang von M. Zimmermann, der einst das erste Tor der Vereinsgeschichte erzielt und auch den Höllenritt durchs Mühlviertel mitgemacht hatte, hinnehmen.

Zum richtigen Zeitpunkt kam eine Woche später der SV Franckviertel nach Pasching. Der Vorletzte der Vorsaison hatte sich personell erneut tendenziell verschlechtert, hinzukam, dass man urlaubsbedingt mit einer besseren Reserve antreten musste. Obwohl Schwarz-Grün selbst alles andere als in Form war, reichte es in einem erschreckend schwachen Spiel zu einem 2:0-Sieg, dem erst zweiten in der Vereinsgeschichte.

Was dieser Erfolg wert gewesen war, zeigte aber schon am nächsten Wochenende der kolossale 0:8-Bauchfleck gegen die Union Babenberg. Alarmierend war, dass die Mannschaft schwächer wirkte als in der Vorsaison, das Wort Entwicklung konnte in diesem Zusammenhang nicht einmal ansatzweise in den Mund genommen werden.

Es folgten zwei 0:4-Niederlagen gegen Absteiger Lichtenberg und – sehr schmerzlich – Edelweiß Juniors, die man nur deshalb in der Tabelle gewähren lassen musste.

Nachdem sich die Niederlagen gegen die Titelkandidaten aus St. Martin (1:5) und wie gewohnt Stahl Linz (1:4) noch in Grenzen gehalten hatten, war nach dem 2:12 gegen ASKÖ Leonding zurecht Feuer am Dach. Eine derart hohe Niederlage war im dritten Jahr der Verbandszugehörigkeit einfach nicht mehr akzeptabel. Nach einem 2:2-Pausenstand ließ sich die

Mannschaft in der zweiten Halbzeit überraschend abschießen. Dies sollte nicht ohne Folgen bleiben.

Für die restliche Hinrunde übernahm, unterstützt vom Übungsleiter der Reserve, Kapitän Haidinger das Trainer-Zepter. Unter ihm als Spielertrainer sollte es tatsächlich bergauf gehen. Gegen den SV Urfahr unterlag man nur knapp 0:1, auch gegen die Mittelständler FC Dardania (2:5) und Kirchberg-Thening (1:3) konnte man mitspielen und sich weiter stabilisieren.

Zum Abschluss der Hinrunde gelang dann quasi als Krönung des Interims-Coachings ein überraschender Punktgewinn zuhause gegen Donau Linz 1b. Pasching ging nach 84 Minuten verdient mit 1:0 in Führung, musste aber zwei Minuten danach noch das späte 1:1 hinnehmen. Dennoch überwiegte nach dem Spiel die Freude über den vierten Punkt. Man hielt damit bereits zur Winterpause bei einem neuen vereinseigenen Punkterekord. Mit einem Blick auf die nicht wirklich überragend agierende Konkurrenz aus dem Tabellenkeller hätte dieser erfreuliche Punktestand im Falle einer Austragung der Rückrunde durchaus noch verdoppelt werden können.

Für ein weiteres Glanzlicht der abgebrochenen Saison sorgte Dauerbrenner Rechberger. Der Vollblutstürmer erzielte bis zum Abbruch für Paschinger Verhältnisse unglaubliche sieben Treffer. Damit wuchs die Nummer zehn, die bereits seit nunmehr drei Saisonen für Grün-Schwarz auf Torejagd ging, in dieser Saison regelrecht über sich hinaus.

Der COVID-19-bedingte Liga-Abbruch sorgte auch für eine Verschiebung der Premiere des neuen Trainers Thomas Wohlschläger. Er war zuvor unter anderem im Nachwuchs des LASK und des „alten" SV Pasching aktiv gewesen und soll nun die Entwicklung der Spieler weiter vorantreiben. Gelingt dieses Unterfangen, erwarten uns auch in Zukunft bestimmt noch viele spannende Geschichten rund um den SV Pasching 16.

Für ebensolche könnte zum Beispiel die neu gegründete, und für eine schnellere Entwicklung des Vereins immens wichtige, U-14-Mannschaft sorgen.

Auszug Tabelle Saison 2019/20*

11.	Edelweiß Juniors	12	-29	4
12.	**SV Pasching 16**	**12**	**-43**	**4**
13.	SV Franckviertel	12	-52	3

*wegen COVID-19 annulliert
Quelle: ofv.at

Epilog

Großer Dank gebührt allen Funktionärinnen und Funktionären, die das Projekt nach der Übergabe konsequent und trotz vieler Rückschläge beharrlich weiterführen.

Im Mittelpunkt des vorliegenden Bandes steht stellvertretend für viele weitere fleißige Leute im Verein Hans-Jörg Roider, dessen Rücktritt als Trainer mir damals sehr nahe gegangen ist.

Man kann die Vereinsführung und die sportliche Leitung nur beglückwünschen, dass sie sich um einen Verbleib seiner Person beim SV Pasching 16 bemüht haben. Wer Jörg und seine Verbundenheit zum Projekt kennt, weiß, dass er sich das nur aus Liebe zum Paschinger Fußball antut. Ohne Typen wie ihn – und davon gibt es beim SV Pasching 16 zum Glück sehr viele – wäre dieses Projekt schon lange grandios gescheitert.

Die Buchreihe zum SV Pasching 16 erhebt für sich den Anspruch, gleich mehrere Funktionen sicherzustellen. Einerseits soll sie der Außenwelt immer wieder die Bedeutung eines eigenständigen Fußballvereins für Pasching vor Augen halten, andererseits in jeder Hinsicht eine positive Werbung den Verein darstellen. Wenn sich dadurch nur ein potenzieller Sponsor, Fan oder Spieler mehr für den Verein interessiert, haben wir durchaus etwas Positives bewirkt.

Vereinschronik/Statistikteil

Kampfmannschaft 2018/19 (2. Klasse Mitte)

1.	Union Puchenau	24	57
2.	ESV Westbahn	24	56
3.	ATSV St. Martin/Tr.	24	47
4.	Donau Linz 1b	24	47
5.	FC Stahl Linz	24	41
6.	ASKÖ Leonding	24	39
7.	Union Babenberg	24	36
8.	FC Dardania	24	33
9.	ASKÖ Ebelsberg	24	32
10.	SV Urfahr	24	27
11.	Edelweiß Juniors	24	21
12.	SV Franckviertel	24	7
13.	**SV Pasching 16**	**24**	**2**

Torschützen 2018/19

3 Rechberger, Maurer, Miglbauer

2 Dunzinger, F. Öfferlbauer

1 Karatas, Strassern, M. Stütz, Mat. Stütz,

Reserve 2018/19 (2. Klasse Mitte)

1.	FC Dardania	20	48
2.	Union Puchenau	20	42
3.	Stahl Linz	20	36
4.	ESV Westbahn	20	34
5.	ASKÖ Ebelsberg	20	32
6.	ASKÖ Leonding	20	29
7.	ATSV St. Martin	20	27
8.	Union Babenberg	20	27
9.	SV Urfahr	20	20
10.	SV Franckviertel	20	16
11.	**SV Pasching 16**	**20**	**7**

Torschützen 2018/19

4 Ilas
3 Gruber, Hackl, P. Öfferlbauer
2 Hasani, Humza, Karatas, Rogic
1 Bajramovic, Klimitsch, Mehinovic, Pfeiffer, Plakolb, Sas, Strassern, Wiesinger, M. Zimmermann

Meisterschaftsbilanz Vereinsgeschichte Kampfmannschaft

Saison	Teamname	Rang	Tore	Punkte
2017/18	SV Pasching 16 Juniors OÖ	13	-143	3
2018/19	SV Pasching 16	13	-104	2
2019/20*	SV Pasching 16	12	- 43	4

*wegen COVID-19 zur Saisonmitte annulliert
Quellen: ofv.at

Leseprobe „Die Odyssee des SV Pasching 16"

erschienen im Dezember 2018

Unser als Fanprojekt gegründeter Verein war gerade einmal ein Jahr alt, als wir es endgültig wissen wollten. Bereits von Anfang an war klar, dass wir nach einem ersten „Schnupperjahr" das ganz große Ziel des Einstiegs in das offizielle österreichische Ligensystem anvisieren würden. Da wir uns dieser für einen neuen Verein doch eindrucksvollen Zäsur immer mit viel Respekt und Demut genähert hatten, hielten sich die negativen Überraschungen hinsichtlich Bürokratie und anderer Hürden letztlich doch in Grenzen.

Dies sollte jedoch auch daran liegen, dass die Rückkehr des Paschinger Fußballs in den Fußballverband letztlich zum „Verbandseinstieg light" wurde. Ursprünglich war es das Ziel, wie vorgeschrieben, neben der Kampfmannschaft mit zwei Nachwuchs- und einem Reserveteam an den Start zu gehen. Dass dies aufgrund der in Pasching nicht vorhandenen Platzkapazitäten ein ambitionierter Gedanke war, wurde uns spätestens in den Gesprächen mit dem oberösterreichischen Fußballverband und dem LASK klar. Neben dem LASK-Profiteam trainierten zu diesem Zeitpunkt auch die Regionalliga-Spielgemeinschaft sowie unzählige Nachwuchsteams der Schwarz-Weißen und des FC Juniors OÖ am Stadiongelände. Hier einen weiteren, völlig eigenständigen Verein mit vier Mannschaften zu integrieren, sollte sich schon bald als unmöglich erweisen.

Unsere Verhandlungen mit dem Hauptmieter und Bundesliga-Rückkehrer LASK sowie dem FC Juniors OÖ verliefen von Beginn an sehr freundschaftlich und professionell. Die Chemie stimmte seit dem ersten Treffen und es stellte sich rasch eine Sympathie ein.

Viele Probleme und Hindernisse, die dem Projekt anfangs noch entgegenstanden, konnten mit der Hilfe der Verhandlungspartner rasch beseitigt werden. Am Ende der gemeinsamen Unterredungen stand folgender Deal: Wir durften die spielerlose 1b-Mannschaft des „alten" FC Pasching übernehmen und mit dieser in der 2. Klasse (achte und unterste Leistungsstufe in Österreich) einsteigen.

Mit dieser „1b-Variante" galt man formell als Kampfmannschaft, musste jedoch keine Reserve- und Nachwuchsteams stellen, womit das Problem der mangelnden Platzkapazitäten zunächst elegant umschifft werden konnte. Da auch diese Form des Verbandseinstiegs vorab keineswegs als gesichert galt, freuten wir uns, dass es uns zumindest in dieser Variante gelungen war, die Paschinger Vereinsfarben wieder auf das österreichische Fußballparkett zu hieven.

Langfristiges Ziel des Projekts blieb unter dem Motto „aufgeschoben ist nicht aufgehoben" jedoch weiterhin die Installierung auch von Nachwuchsteams.

Nach unglaublich intensiven und von großem Zittern geprägten Wochen war es endlich soweit und wir erhielten die Zusage, dass unsere Mannschaft in der bevorstehenden Saison im Fußballverband antreten konnte.

Spannend war nicht zuletzt auch die Entstehungsgeschichte des Namens, unter dem wir antreten würden. Da der „alte", sich in einer Spielgemeinschaft mit den LASK-Amateuren befindende, FC Pasching dieser Tage in „FC Juniors OÖ" umbenannt wurde, hätten wir eigentlich unter dem Namen „FC Juniors OÖ 1b" antreten müssen, was wiederum sehr wenig mit der Paschinger Identität, die wir hochhalten wollten, zu tun gehabt hätte.

Beim nunmehrigen FC Juniors OÖ war man sich dieser Tatsache bewusst und lud uns ein, über einen „Mediennamen" nachzudenken. Daraufhin kam es zu einem Drei-Parteien-Treffen zwischen dem oberösterreichischen Fußballverband, dem FC Juniors OÖ und dem Projektinitiator. Im Rahmen dieser Zusammenkunft wurden wir vom Verbandsvertreter noch einmal darauf aufmerksam gemacht, dass trotz Mediennamens auch der Zusatz „Juniors OÖ" enthalten sein müsse. Stellvertretend für den gesamten Verein SV Pasching 16 entschied sich Peter Öfferlbauer an Ort und Stelle zum Gaudium der Anwesenden schließlich für die Namenskombination „SV Pasching 16 Juniors OÖ". Der Name Pasching war damit wieder im österreichischen Fußball vertreten.

Es soll an dieser Stelle jedoch nicht verhehlt werden, dass es durchaus auch Kritik an diesem Schritt gab. In diversen Fan-Foren gab es einzelne Personen, die nicht verstehen konnten, warum wir ausgerechnet mit dem LASK zusammenarbeiten würden. Dies war einerseits schon formell nicht korrekt, zumal das gewählte

Konstrukt ausschließlich auf einer Partnerschaft mit dem ehemaligen FC Pasching (nun FC Juniors OÖ) fußte. Wir durften die 1b des ehemaligen FC Pasching stellen, eigene Sponsoren lukrieren, eigene Trikots sowie ein eigenes Logo führen. Auch in puncto Spieler gab es keine einzige Verknüpfung. Der SV Pasching 16 war ein völlig autonomer Verein, der unter der zweiten Verbandslizenz des FC Juniors OÖ spielen durfte. Für die älteren der eingefleischten Pasching-Fans, die uns auch ein ums andere Mal auch besuchen kamen, war dies im Übrigen nie ein Thema.

Generell war dieser Schritt zu diesem Zeitpunkt alternativlos. Der Plan B wäre ein Antreten auf einem Linzer Sportplatz in irgendeiner Hobbyliga gewesen. Und das mit Spielern, die verbandsrechtlich anderen Vereinen gehört hätten. Damit wäre der Gegenwart und Zukunft des Paschinger Fußballs nicht einmal im Entferntesten gedient gewesen.

Bau dir eine Mannschaft

Die meisten unserer Spieler brachen ob der freudigen Kunde des Verbandseinstiegs unweigerlich in Jubel aus und feierten diese sensationelle Nachricht. Die Medienmaschinerie wurde fleißig angeworfen und vom Paschinger Stockschützenverein, der zuvor sogar für den SV Pasching 16 sammeln gegangen war, wurden sogar kleine selbstgemachte Kalender mit unseren Spielterminen in Umlauf gebracht. Auch der Stammtisch des örtlichen Paschingerhofs kannte zu dieser Zeit kein anderes Gesprächsthema.

Bevor wir uns auf das Abenteuer 2. Klasse einlassen konnten, mussten jedoch noch eine Menge an Hausaufgaben erledigt werden. Unter anderem galt es, unsere Spieler mit offiziellen Spielberechtigungen auszustatten, sprich jeden Einzelnen zu transferieren. Wir schnappten uns die Kamera und lichteten alle beim Training sowie auf sämtlichen anderen Plätzen ab. Daraufhin suchten wir den Kontakt zum FC Juniors OÖ, der uns hier mit seiner Erfahrung weiterhelfen konnte.

Franz Mayer, der Vereinspräsident, machte uns schließlich mit einem Mann namens Josef bekannt. Dieser war beim Verein für die gesamte administrative Abwicklung des Transferwesens zuständig. Nach einem ersten Kennenlernen bot Josef an, uns gleich am folgenden Samstag zu Hause in Pasching zu besuchen und mit der Arbeit zu beginnen. Er fuhr, ohne jede Bezahlung, 50 Kilometer weit und verbrachte mit uns schließlich volle acht Stunden an einem Paschinger Küchentisch, wo wir uns gemeinsam durch alle durchzuführenden Transfers quälten. Als die ersten technischen Probleme mit Fotogrößen auftauchten, wurden noch weitere fleißige Helferinnen und Helfer hinzugezogen.

Wir gaben Spieler um Spieler in das auf den ersten Blick furchtbar kompliziert wirkende Onlinesystem des ÖFB ein und druckten die noch zu unterfertigenden Anmeldescheine aus. Unsere Leute wurden dabei in drei Kategorien unterteilt. Am unkompliziertesten verhielt es sich mit jenen Spielern, die zwar schon irgendwann einmal für einen „echten" Fußballverein im Einsatz waren, jedoch zumindest eineinhalb Jahre an keinem Meisterschaftsspiel mehr teilgenommen hatten. Von deren Vereinen brauchten wir keine elektronische Zustimmung einzufordern. Ähnlich verhielt es sich bei den sogenannten „Jungfrauen", also jenen Spielern, die noch nie in ihrem Leben bei einem Fußballverein gemeldet waren. Sie brauchten logischerweise ebenfalls keine Zustimmung eines Vereins, jedoch mussten diese Spieler vorab einen Arzt aufsuchen, der ihnen erst die Tauglichkeit zur Ausübung des Fußballsports attestieren musste.

Die dritte und letzte Kategorie bildeten jene Spieler, die aktuell in einem anderen Verein Fußball spielten. Sie waren natürlich nicht nur für uns, sondern auch für ihre aufrechten Vereine begehrt, weshalb diese Akteure für uns die kniffligsten waren. Einige von ihnen haben uns bislang als Zweitklub gesehen, bei dem sie ergänzend zu ihrem Stammverein ihre Freizeit mit noch mehr Fußball ausfüllten.

Leider konnten und wollten einige von ihnen uns daher auf unserem Weg auch nicht weiter begleiten. Manche dieser Spieler gingen den Weg jedoch sehr wohl mit, weshalb wir in diesen Tagen mit den jeweiligen Vereinen in Verhandlungen gingen. Die meisten dieser Unterredungen verliefen problemlos. Es handelte sich zumeist auch um Spieler, die zwar für uns enorm wichtig waren, bei ihren aktuellen Vereinen jedoch über Reservestatus nicht hinauskamen. Von daher war es letztlich im Gros der Fälle völlig unproblematisch, diese Spieler loszueisen.

Nachdem alle Freigaben erteilt worden waren, verteilten wir die Anmeldescheine an die Spieler, sammelten sie wieder ein und luden sie dann im Onlinesystem formgerecht hoch. Nach kurzer Abwicklung durch den Fußballverband bekamen wir die Spielerpässe zugeschickt und unsere Spieler waren uns nun fix und verbandsrechtlich zugewiesen.

Schock im Mühlviertel

Eine der spannendsten Angelegenheiten war natürlich die Zuweisung unseres Vereins zu einer bestimmten Liga. In Oberösterreich werden die untersten Spielklassen ja nicht eingleisig ausgetragen. In besagter Saison gab es gleich zwölf „2. Klassen", weshalb wir sehr gespannt waren, wer uns denn in unserer ersten Saison als Gegner gegenüberstehen würde.

Als die Kundmachung über die Homepage des Oberösterreichischen Fußballverbands erfolgte, war der Schock zunächst groß. Wir wurden nicht wie angenommen einer Liga unserer geografischen Region zugeteilt, sondern hatten es plötzlich ausschließlich mit Gegnern aus dem Mühlviertel zu tun. Dabei drangen plötzlich unter anderem Orte wie Weitersfelden (69 Kilometer von Pasching entfernt), Pierbach/Mönchdorf (55 Kilometer) oder Unterweißenbach (64 Kilometer) in unser Bewusstsein.

Wir durften uns auch auf kein einziges Derby freuen. Am nächsten war uns noch die Gemeinde Luftenberg, welche „nur" 20 Kilometer von Pasching entfernt liegt. Ein schwacher Trost, wenn man an die vielen begehrten und romantischen Nachbarschaftsduelle denkt, für die das Fußball-Unterhaus traditionell ja steht. Lange hielt dieser anfangs noch als kleine Enttäuschung wahrgenommene Zustand jedoch nicht an, zumal die Euphorie ja riesengroß war.

Andernorts brauchte man da schon etwas länger, um mit dieser Enttäuschung fertig zu werden.

Fälschlicherweise wurden wir vom Fußballverband nämlich als „SPG FC Pasching/LASK 1b" kundgemacht, was im Mühlviertel eine Welle der Entrüstung hervorbrachte. Kommentare wie „Jetzt zerstören die schon wieder eine Liga" oder Begriffe wie „Wettbewerbsverzerrung" machten in diversen Foren und sozialen Medien die Runde.

Wir konnten darüber nur lachen, zumal wir wussten, dass wir weder organisatorisch noch sportlich auch nur im Entferntesten etwas mit dem LASK zu tun hatten. „Die werden sich anschauen, wenn sie uns dann spielen sehen!", drückte es ein Vorstandsmitglied durchaus treffend aus.

Positiv, aber inhaltlich ebenso unzutreffend, reagierte beispielsweise die Union Baumgartenberg. Sie philosophierte auf ihrer Facebookseite von der Niederkunft der „schwarz-weißen Götter in Baumgartenberg", worüber wir ebenfalls herzhaft lachen mussten.

Die Irritationen hielten bis zur Liga-Sitzung an. Zu dritt traten wir die Reise nach Rechberg an. Nach guter alter Ligatradition durfte immer der Drittplatzierte der Vorsaison die Sitzung ausrichten. Dies sollte quasi eine Entschädigung für das Versäumen des Direktaufstiegs beziehungsweise der sehr attraktiven Relegation darstellen, wie man uns informierte. Auch bekam der Dritte dort aus der Gruppenkassa einen Matchball spendiert. Eine nette Geste, wie wir befanden.

Kurioserweise fand die Sitzung exakt in jenem Ort statt, der auch zum Schauplatz unseres Auftaktspiels auserkoren wurde. Wir nutzten diesen Umstand gleich aus, indem wir die Union Rechberg als offiziellen Meister-Tipp des SV Pasching 16 nannten. Dadurch erhofften wir uns, dass diese beim Auftaktspiel gleich noch etwas mehr Druck verspüren würde.

Im Rahmen dieser Liga-Sitzung, welche nach guter Mühlviertler Tradition von reichlich Speis und Trank umrahmt worden war, bekamen wir auch die Gelegenheit, sämtliche Irritationen auszuräumen und der Liga-Konkurrenz unser Projekt zu erklären. Die Atmosphäre im Raum wandelte sich nach dieser Ansprache um beinahe 180 Grad. Angespannte Schultern entkrampften sich und die allgemeine Stimmung wurde lockerer und freundlicher. Da und dort wurde noch darüber gemosert, dass man nun „hunderte Kilometer" nach Pasching fahren könne oder wegen uns heuer „ein Derby verliert", es mehrten sich von diesem Zeitpunkt an aber die Stimmen jener, die beschwichtigten und uns zu unserem mutigen Projekt gratulierten.

Sportlich wurden wir seit diesem Augenblick jedenfalls nicht mehr ernst genommen, was alleine der Umstand belegt, dass der SV Pasching 16 in der Meister-Tipp-Runde kein einziges Mal genannt wurde. Die meisten Stimmen erhielt übrigens mit Abstand der SC Tragwein-Kamig, unser Meister-Tipp Rechberg wurde immerhin noch von einem zweiten Verein unterstützt, was die Vertreter unseres Auftaktgegners mit einem Kopfschütteln zur Kenntnis nahmen.

Auch wurden während dieser Sitzung die ersten

konkreten Spieltermine festgelegt. Wir hatten uns hierzu im Vorfeld die Strategie zurechtgelegt, auswärts auf jeden Wunsch des Gegners einzugehen und die anderen Vereine im selben Atemzug zu bitten, bei unseren Heimspielen aufgrund der knappen Platzkapazitäten in Pasching flexibel zu sein. Immerhin wurden am Areal der nunmehrigen „TGW-Arena" laufend Bundesliga-, Drittliga- und Nachwuchsspiele ausgetragen. Uns war die Rolle des fünften Rads am Wagen von Anfang an klar, so sind wir in der Kommunikation mit unseren Partnern auch immer aufgetreten.

Ein kurzer, heißer Sommer

Als weitere wichtige Vorbereitungshandlung neben dem Platz, führten wir ein Treffen mit potenziellen Helfern durch. Zu diesem fanden sich eines lauen Sommernachmittags im Paschingerhof immerhin, den Vorstand miteingerechnet, zwölf Personen ein. Diese waren allesamt bereit, an Spieltagen mitanzupacken. Immerhin galt es, einen Ordnerdienst aufzubauen, Kassenpersonal zu finden, spieltagsbezogene Einkäufe zu erledigen, Hilfsschiedsrichter zu stellen, einen Platzsprecher zu finden und vieles mehr.

Parallel dazu nahmen wir uns ein weiteres spannendes und ambitioniertes Projekt vor. Dank der Unterstützung eines Spielervaters bekamen wir eine Hütte gesponsert. Nachdem wir die Installierung derselben auf dem Trainingsgelände des LASK durch diesen genehmigt bekamen, widmeten wir uns der Planung und Umsetzung. Diese sollte sich immer wieder verzögern. Zu unserer Überraschung mussten wir etwa eine Bauverhandlung mit einem Sachverständigen über uns ergehen lassen, was, zu allem Überfluss, auch noch mitten in der Urlaubszeit terminisiert, rasch über die Bühne gehen musste. Da manche von uns zum einen oder anderen Gemeindevertreter kein gutes Verhältnis pflegten, übernahm unser Obmann die Kommunikation mit der Gemeinde.

Aufgrund weiterer kleiner Rückschläge sollte sich die Fertigstellung der Hütte schließlich bis zum dritten

Heimspiel hinauszögern, was in Anbetracht der vielen Baustellen rund um unseren Verein letztlich auch durchaus zu verschmerzen war. Bei den ersten Heimspielen wurden daher provisorisch Tische aufgestellt, auf welchen der Platzkassier seine Arbeit verrichten konnte beziehungsweise minimal ausgeschenkt wurde.

Auch unsere Mannschaft musste schließlich durch eine größere Sommer-Vorbereitung, welche, soviel sei vorweggenommen, ebenfalls nicht friktionsfrei verlief. Als ersten Testgegner suchten wir uns zum letzten Mal eine Hobbytruppe aus. Gegen die Marchtrenker Mannschaft „Kicker der Kokosnuss" konnten wir nach Rückstand noch mit 3:2 gewinnen.

Mit der Union Mühlbach stand uns eine Woche später jedoch der erste wirkliche Gradmesser gegenüber. Unsere Mannschaft fand von Beginn an nicht ins Spiel und schluckte Gegentor um Gegentor. Am Ende unterlagen wir im Nachbarort erbarmungslos mit 3:9. Es sollte dies unser erstes und bei weitem nicht letztes Rendez-vous mit der Realität sein. Ein älterer Pasching-Fan, der sich sehr zu unserer Freude dieses Spiel angesehen hatte, verließ beim Stand von 7:0 für die Hausherren den Platz und sagte uns unmissverständlich: „Mit dieser Mannschaft wird das nichts!"

Mit angesprochenem Team reisten wir zwei Wochen später, am 6. August 2017, nach St. Marienkirchen an der Polsenz. Die „Samareiner" spielten zu dieser Zeit in der Oberösterreich-Liga, hatten aber eine 1b, die in der 2. Klasse spielte und daher einen weiteren idealen Gradmesser für unsere Elf darstellte. In diesem Spiel agierte man über weite Strecken defensiv etwas robuster, wenngleich bei weitem noch nicht auf Verbandsniveau. Das dokumentiert auch das Endergebnis von 7:1 für die Hausherren.

Eine Woche später trafen wir im letzten Vorbereitungsspiel vor Meisterschaftsbeginn auf den SV Chemie Linz. Dieser trat mit einer etwas besseren Reserve an, weshalb sich ein völlig anderes Spiel entwickelte. Unsere Mannschaft hatte plötzlich enorme Räume und wusste dies mit einem knappen, hinten raus enorm engen, 3:2-Heimsieg auch auszunutzen.

Wenngleich den Realisten unter uns sofort klar war, dass uns in der Meisterschaft andere Kaliber erwarten würden, war dieser Sieg dennoch Balsam auf den Wunden, die die hohen Niederlagen gegen Mühlbach und St. Marienkirchen 1b zuvor aufgerissen hatten. Mit viel Respekt, aber dennoch vorsichtig optimistisch, gingen wir in die nächsten Wochen. Es sollte uns eine Zeit bevorstehen, die den Verein nachhaltig prägen und verändern sollte. Erst einige Wochen und Monate später sollte sich eine Truppe herauskristallisieren, die bereit war, dieses Projekt ohne Wenn und Aber durchzuziehen.

Die Hinrunde im Spielfilm

Runde 1: Auswärtsspiel gegen Union Rechberg

Mit gemischten Gefühlen erfolgte die Anreise nach Rechberg. Der Sieg im letzten Testspiel gegen Chemie Linz gab zwar durchaus Anlass für Hoffnung, dennoch war die Angst vorhanden, im ersten Meisterschaftsspiel vom Vorjahres-Dritten, der nur um Haaresbreite die Aufstiegsrelegation verpasst hatte, abgeschossen zu werden.

In Rechberg angekommen, schlug uns zunächst noch wenig Herzlichkeit entgegen. Beim Anfertigen des Onlinespielberichts fragte man uns, wie schon der eine oder andere Verein zuvor bei der Gruppensitzung, warum man nun wirklich gegen uns spielen müsse. Davon unbeeindruckt bereiteten wir Funktionäre mit Freude das erste Meisterschaftsspiel der Klubgeschichte vor. Es wäre gelogen, wenn das Betreten des Rechberger Rasens durch unsere Mannschaft nicht eine Art Triumphgefühl bei unserer Projektgruppe ausgelöst hätte.

Ähnlich dürften auch die Spieler, die meisten spielten ja schon seit Anbeginn des Projekts bei uns, gedacht haben. Eines war jedoch klar: Nervös waren wir alle. Dies merkte man jedem einzelnen Funktionär und Spieler buchstäblich an. Immerhin befanden sich gleich zehn Spieler in der Startaufstellung, die zuvor noch nie ein Kampfmannschaftsspiel bestritten hatten. Einzig der ältere der beiden Zimmermann-Brüder durfte bei seinem Ex-Verein ein paar Mal in die erste Mannschaft hineinschnuppern.

In der Anfangsphase merkte man der Mannschaft folglich auch an, dass sie gewaltigen Respekt vor der Aufgabe hatte. Rechberg tat sich anfangs noch etwas schwer, ließ dann aber keine Zweifel aufkommen. Nach gut 20 Minuten stand es bereits 2:0 und in den Reihen der Auswärtsfans machte sich schon die Angst vor einer hohen Niederlage breit. Zu präsent war etwa noch das 3:12 gegen Mühlbach.

Irgendwie schaffte es unsere Mannschaft jedoch, den 0:2-Rückstand bis zum Schlusspfiff zu verteidigen. Dabei war Rechberg durchaus bemüht, hier einen Kantersieg zu feiern. Die in blauen Trikots spielende Heimelf pfiff unseren Verteidigern regelrecht um die Ohren, flankte etwa 20-mal zur Mitte, unser junger Tormann hielt jedoch glänzend und teilweise scheiterten die Heimischen auch an sich selbst beziehungsweise hatten bei einigen Aktionen so richtig Pech.

Es haben letztlich nur die Wenigsten verstanden, warum wir dieses Spiel nicht wesentlich höher verloren haben. Nach vorne ging jedenfalls gar nichts. Unsere Mannschaft war offensiv im ersten Spiel über 90 Minuten völlig abgemeldet.

So waren wir mit dieser 0:2-Niederlage zum Saisonauftakt, gerade angesichts der hohen Pleiten in der Vorbereitung und der Tatsache, dass die Rechberger klar überlegen waren, sehr zufrieden. Nach dem Spiel blieben etwa die Hälfte der Mannschaft sowie sämtliche Funktionäre noch sitzen und stimmten ein Hoch auf die eigene Mannschaft sowie den Gegner an. Nun war die Stimmung auf beiden Seiten spürbar besser.

In Erinnerung wird uns auch die Heimreise bleiben. In dieser magischen Augustnacht tobte ein gewaltiger Sturm über Oberösterreich. So mussten wir bei der Rückfahrt sogar mit den Autos anhalten, um einen umgestürzten Baum von der Straße zu räumen.

Runde 2: Heimspiel gegen SPG
Weitersfelden/Kaltenberg/Liebenau

Die verhaltene Zufriedenheit mit der knappen
Niederlage in Rechberg währte noch bis zum Beginn
der nächsten Woche. Es war schön, beim Öffnen der
Montagszeitung den Namen „Pasching" wieder in
einer offiziellen Fußballtabelle zu lesen. Nach dem
ersten Spieltag waren wir immerhin auf dem zehnten
von 13 Plätzen, was wir umgehend mit einem
Screenshot auf unserer Facebookseite kundmachten.
Manche von uns schnitten die Tabelle damals vor
Freude sogar aus der Zeitung aus. Damals hatten wir
irgendwie schon das Gefühl, dass dies in der laufenden
Saison unser bester Tabellenplatz bleiben würde.

Die Vorbereitungen auf das erste Heimspiel waren
unterdessen von viel Stress und vor allem
Hochspannung gekennzeichnet. Unsere „Kantinen-
Ladies" Stefanie, Annemarie und Annika machten aus
der Not der Nicht-Fertigstellung der Hütte eine
Tugend. Mit viel Improvisierungskunst sowie Charme
und Geschick konnten sie die Gäste aus dem
Mühlviertel dennoch begeistern und eine
funktionierende Gastronomie gewährleisten.

Die Tage zuvor wurden neben unserer rasant
anwachsenden Helfergruppe und den Funktionären
auch die Spieler zur Fertigstellung der Hütte
eingespannt. Letztere schlugen sich auch im ersten
Heimspiel der Vereinsgeschichte wacker. Wenngleich,
wie schon in Rechberg, offensiv nie präsent, gelang es

doch, zögerliche Gäste zu Beginn des Spiels verhältnismäßig lange vom Torerfolg abzuhalten. Die sympathische Dreier-Spielgemeinschaft zwischen Weitersfelden, Kaltenberg und Liebenau rannte unentwegt auf das Paschinger Tor zu, allein der erste Treffer schien nicht gelingen zu wollen.

Nach einer halben Stunde brach schließlich der Bann. Nach einem Eckball der Gäste war ausgerechnet ein Pasching-Spieler zuletzt am Ball und bugsierte das Leder hinter die Linie. Am Ende gewannen die Gäste mit 3:0.

Die Tageseinnahmen konnten sich durchaus sehen lassen. Einige interessierte Paschinger Zuschauer, darunter beide Vizebürgermeister und ein Altbürgermeister, ließen es sich nicht nehmen, diese Veranstaltung zu besuchen. Auch die Gäste waren trotz der weitesten Fahrtdistanz der gesamten Liga gut vertreten und machten sogar mit einem improvisierten Fanklub Stimmung. Gut in Erinnerung wird unserem Kantinenteam vor allem ein SPG-Zuschauer bleiben, der während dem Spiel fleißig Stimmung machte und etwa zwölfmal Bestellungen aufgab. Am Ende wurde von der siegreichen Gäste-Elf sogar eine Kiste Bier ausgelöst und konsumiert.

Für Erheiterung sorgte die Frage eines Gäste-Funktionärs, wo denn unser Fanclub sei. Er habe sich beim ersten Heimspiel nach der Rückkehr Paschings in die Fußballmeisterschaft schon Support oder zumindest ein Fahnenmeer erwartet. Er sprach damit genau jenen Umstand an, der Pasching in seiner

Fußballseele eben von Vereinen mit traditioneller Fankultur (GAK, Vorwärts Steyr, Austria Salzburg) unterscheidet. Die Neugründung legt an diesem Punkt erbarmungslos offen, was die Paschinger Fanszene früher darstellte: Ein Konglomerat aus nur ganz, ganz wenigen treuen und eingefleischten Fans sowie die 50-fache Anzahl an Eventpublikum.

Unter der Woche sollten wir mit diesem Spiel noch einmal eine große Freude haben, als der Schiedsrichter unserer ersten Heimbegegnung per E-Mail eine regelrechte Lobeshymne an Schiedsrichterwesen, Partnervereine und den Fußballverband abschickte. Er lobte darin die reibungslose Abwicklung des Heimspiels und schrieb unter anderem, dass er in seiner gesamten Karriere noch nie von zwei Ordnern von einem Parkplatz abgeholt und zur Kabine geführt wurde. Ein tolles und wohltuendes Kompliment für die Organisation.

3. Runde: Heimspiel gegen Sportunion Münzbach

Nur eine Woche nach dem 0:3 gegen Weitersfelden/Kaltenberg/Liebenau hatten wir die Sportunion Münzbach zu Gast. Den Gegner sollten wir in absoluter Topform erwischen, hatten die Gäste doch aus den ersten beiden Spielen etwas überraschend vier Punkte erobert.

Bereits am Vortag gab es Unruhen innerhalb der Mannschaft und eine Trennung im Betreuerstab. Am nächsten Tag sollte die Mannschaft dann am Platz völlig auseinanderbrechen. Obwohl defensiv durchaus verwundbar, stellten die Gäste aus Münzbach an diesem Tag eine unüberwindbare Hürde für unser Team dar. Die Paschinger Elf erlitt einen herben Rückfall und erinnerte an die wirklich schwachen Testspiele.

Generell leitete dieses Match gewissermaßen eine Zeitenwende ein. Waren wir anfangs noch die große Unbekannte der Liga, so wussten die Gegner fortan, wie sie gegen uns spielen mussten, nämlich mit unbarmherzigem Pressing und frühem Attackieren. Immerhin gelang es uns, in diesem Spiel den ersten Treffer unserer Vereinsgeschichte zu erzielen. Zimmermann, der die Mannschaft als Kapitän aufs Spielfeld führte, nutzte ein Elfmetergeschenk des Schiedsrichters zum Ehrentreffer. Zum ersten Mal erklang folgerichtig mit „We get it on" jene Torhymne, die schon zu Bundesliga-Zeiten im Paschinger Waldstadion gespielt wurde. Nun hörten sie statt

3.500 im Stadion halt 100 Zuschauer am Viererplatz. Auch das ist der spezielle Charme des Projekts SV Pasching 16.

Leider kamen wir jedoch am Ende mit 1:11 (kurioserweise wurde der Spielbericht mit 1:10 abgeschlossen) gehörig unter die Räder. Erschwerend kam noch eine kompliziertere Verletzung eines Spielers, der nach diesem Spiel nie wieder für uns spielen sollte, hinzu. Kurios war auch die Tatsache, dass Münzbach damit nach drei gespielten Runden überraschend die Tabellenführung einnahm, danach aber ein halbes Jahr lang sieglos bleiben sollte.

A propos Münzbach: Einen Bärendienst erwiesen wir einem dort ansässigen Unternehmer, der uns einst als Sponsor beim Legendenspiel unterstützte. Nachdem er ihn im Publikum erspäht hatte, ließ es sich der Platzsprecher nicht nehmen, ihn zu begrüßen. Es dauerte keine fünf Minuten, ehe der Unternehmer dann von seinen Münzbacher Mitbürgern in die Mangel genommen wurde. Im nächsten Heimspiel der Mühlviertler musste er dann prompt als Matchsponsor fungieren.

Wie bereits vor dem Spiel, herrschte auch nach den 90 Minuten Unruhe in der Mannschaft. Am nächsten Tag informierte uns der Trainer dann über seinen Rücktritt.

Es begann die recht kurze Suche nach einem Nachfolger. Der Spieler Marco Roider erzählte uns, dass sein Vater Trainer im starken Nachwuchs des damaligen Bundesligisten war und sich daher seit jeher gut mit dem Projekt identifizieren kann. Der Wunschkandidat hieß also fortan Hans-Jörg Roider. Um die Mannschaft zu beruhigen, entschlossen wir uns, keine Zeit zu verlieren und kontaktierten noch am selben Tag Marcos Vater.

Dessen Reaktion auf den Anruf wird uns noch lange in angenehmer Erinnerung bleiben. Wir sprachen zu Beginn ausführlich über das Projekt. Als wir ihm am Ende unseres Gesprächs anbieten wollten, uns in dieser Woche mit ihm zu treffen, erklärte er nur knapp: „Ich möchte euch helfen. Ich kann bereits am Donnerstag das Training leiten und im Winter setzen wir uns dann zusammen und schauen, wie es weitergeht!" Damit war die Sache schon wieder besiegelt und der SV Pasching 16 hatte seinen Wunschkandidaten als Trainer.

Das Dienstagstraining leitete noch Co-Trainer Grillmair gemeinsam mit zwei Spielern, ehe dann Roider, der diese Aufgabe wie schon sein Vorgänger ehrenamtlich ausübte, bereits Zettelchen austeilte, auf die die Spieler ihre Wunschposition und Ziele schreiben durften. Das Donnerstags-Training wurde dann bei strömendem Regen vom neuen Coach geleitet, der begann, die absoluten Basics zu trainieren und dies auch in der Folge noch sehr lange würde tun müssen.

Um für das nur zwei Tage später stattfindende Spiel gegen Pierbach/Mönchdorf gewappnet zu sein, gestalteten wir für den Trainer ein mehrseitiges Dossier mit Fotos und Namen der Spieler sowie groben

Vermerken wie „guter, talentierter Spieler",
„Notfallspieler" und anderen Attributen.

Die Odyssee des SV Pasching 16
Peter Öfferlbauer
2018 BoD Norderstedt
108 Seiten
online sowie auf Bestellung überall im Buchhandel
erhältlich